ISBN 2-908551-38-1

Du même auteur chez le même éditeur :

Maupassant

Les enquêtes de l'inspecteur Coke
La Momie
Les Crimes du Phénix - le Monstre de la Tamise

Contes et récits fantastiques
1. Woyzeck
2. Le Golem
3. Edgar A. Poe, Histoires

Contes et légendes
1. Le Géant égoïste
2. Thyl l'espiègle
3. Le cœur dans un écrin

L'Homme de la Nouvelle-Angleterre
L'Homme de la Légion

François d'Assise

Le Chat botté

1 ter, rue des Sablons - 38120 St Egrève
E.mail : mosquito.editions@wanadoo.fr
site web: www.editionsmosquito.com
Troisième édition, imprimée en février 2014 sur les presses de Polygraf Print, Prešov.

Dino Battaglia & François Rabelais
couleurs Laura Battaglia

GARGANTUA
&
PANTAGRUEL

Préface de Denis Baril

Mythologie rabelaisienne

Dino Battaglia avait illustré pour le public italien la mirifique histoire de Gargantua et Pantagruel. Ses dessins, par leur finesse et leur drôlerie, s'accordent à merveille avec l'imaginaire cocasse et profond de Rabelais. Les éditions Mosquito ont eu l'heureuse idée de transposer en français cette version. Il s'agit d'un rendu pour un prêté : la mythologie rabelaisienne a inspiré les cartons italiens, les images transalpines nous reviennent, mais bien entendu les dialogues et les textes sont repris à l'original, modernisés à bon escient. Si bien que l'on voit et qu'on entend Rabelais.

Rabelais témoin de son temps. Sa verve restitue le parler dru de la première Renaissance. Il nous rapporte, dans des temps difficiles, le rêve de l'abondance alimentaire aussi bien que l'horreur de la guerre féodale, les ambitions ridicules des conquérants comme la cuistrerie et l'éloquence creuse des Sorbonicoles. Il tourne en dérision les vieilles légendes : le cheval de Troie devient une truie ; la parodie est poussée à l'extrême et sans tabou.

Rabelais esprit libre et curieux de tout, qui non seulement critique, mais aussi propose et anticipe. Il prône une éducation basée non sur la mémoire seule, mais aussi sur l'observation et l'expérience. Il n'oublie pas les soins du corps, en médecin qui fut l'un des premiers à pratiquer secrètement la dissection ; ce qui lui permet de moquer les explications physiologiques absurdes qui avaient cours. Homme d'Eglise, il met en valeur Frère Jean des Entommeures, le moine qui fait davantage confiance à l'action qu'à la prière. Il va jusqu'à pressentir l'enregistrement sonore (paroles gelées). L'importance de la découverte de l'Amérique, toute récente, ne lui échappe pas (il a peut-être rencontré Jacques Cartier) : ses héros voyagent et explorent la diversité des sociétés humaines, Panurge est déjà multilingue.

Tout à la fois, le gigantisme autorise la fantaisie et la démesure conduit à l'appréciation lucide de la réalité. De cette truculence, de cette modernité, le trait de Dino Battaglia donne une représentation vivante et fidèle à l'esprit universel de Rabelais. L'œuvre haute en couleurs méritait de devenir bande dessinée, après les gravures de Gustave Doré.

Pour les jeunes de 11 à 111 ans, cette interprétation d'un des grands moments du patrimoine français sera réjouissante tout en invitant à la réflexion et à la relecture des livres rabelaisiens.

Denis Baril
Université Stendhal-Grenoble III

À propos de l'adaptation de Gargantua et Pantagruel

Lorsqu'il propose en 1979 *Gargantua et Pantagruel* à la revue catholique italienne *Il Giornalino*, Dino Battaglia est un auteur au sommet de son art. Artiste raffiné et fin lettré, il était déjà connu pour ses adaptations de grands classiques de la littérature (E.T.A. Hoffmann, Lovecraft, Maupassant, Melville, Poe…) Le travail engagé sur *Gargantua et Pantagruel* présentait un véritable défi : l'œuvre est immense (cinq volumes) et le génie littéraire de Rabelais, la puissance de son verbe sont peu compatibles avec la concision et le dynamisme de la narration propre au neuvième art. La vignette, comme unité de la bande dessinée, ne pouvant contenir la démesure des personnages, Battaglia en dynamite le cadre narratif pour investir résolument l'espace de la planche. Aux débordements rabelaisiens répondent d'audacieuses compositions graphiques. Le gigantisme des héros s'épanouit librement, ne se laissant enfermer par les traits de contours que pour mieux se libérer par un discours harmonieusement traduit en récitatifs classiques, phylactères truculents et onomatopées en interjection. Cette souple alternance imprime à l'œuvre transposée en images un rythme de lecture restituant au plus près les péripéties en forme de rebondissements du récit original.

La bande dessinée a cette ressource spécifique d'expliciter la fiction, en haussant l'artifice jusqu'à matérialiser les sons, lors même qu'elle est par essence muette ! C'est ainsi que le rire de Picrochole sonne bien "haut et fort" sous le pinceau de Battaglia, et que nous entendons littéralement les bruits gelés de la bataille de la mer de glace…

Ces prouesses graphiques, qui transmutent en images le feu des bombardes, le vacarme des combats et la rumeur des ripailles gargantuesques, sont magiquement rehaussées de chaudes couleurs choisies au diapason des épisodes par Laura, la compagne du maître. C'est sa palette qui donne cette étonnante légèreté à la danse éléphantesque de Grandgousier et de Gargamelle. Ce renfort chromatique est comme un écho de la bonne humeur et de la joie de vivre qui parcourent l'œuvre.

Pour cette première édition française, afin d'être le plus fidèle possible à l'esprit de Rabelais, nous n'avons pas retraduit les textes italiens, nous sommes repartis de la version en français modernisé de J. Garros. Nous avons librement adapté le texte en fonction des choix opérés par Dino Battaglia. Ce qui nous a conduit parfois à "reconstruire" des planches, notamment lorsque les contraintes éditoriales de l'époque imposèrent d'édulcorer certains passages. Dino et Laura Battaglia furent conscients de ces entorses à l'œuvre originale et, dans l'édition posthume de la *Milano Libri*, en 1993, Ranieri Carano rajouta, dans le fil du récit, des pages de textes de Rabelais. Nous avons adopté ce principe qui permet de donner un meilleur aperçu de la verve rabelaisienne, même si pour des raisons de rythme nous n'avons pu reprendre in extenso tous les textes originaux.

M. Jans, J.F. Douvry

AUX LECTEURS

Amis lecteurs, qui lisez ce livre,
Dépouillez-vous de toute passion,
Et, en le lisant, ne vous scandalisez c pas :
Il ne contient ni mal ni infection.
Il est vrai qu'ici vous n'apprendrez
Que peu de perfection, sinon sur le rire ;
Autre sujet mon cœur ne peut choisir,
En voyant le deuil qui vous mine et consume :
Il vaut mieux écrire du rire que des larmes,
Parce que rire est le propre de l'homme.

VIVEZ JOYEUX !

De la généalogie de Gargantua.

Je vous renvoie à la grande chronique pantagruéline
pour reconstituer l'antique généalogie de Gargantua.
Elle vous dira dans tous ses détails comment les géants vinrent
en ce monde et comment d'eux, en ligne directe,
naquit Gargantua, père de Pantagruel.
Ne vous fâchez pas, si dès maintenant, je cesse de m'en occuper...

C'est par un don souverain des cieux
qu'il nous a été donné de connaître
les origines antiques de Gargantua.
Ce précieux document fut trouvé par Jean Audeau
dans un pré qu'il avait près de l'Arceau-Galeau
au-dessous de l'Olive, en allant vers Narsay.

GARGANTUA et PANTAGRUEL

EN CREUSANT LES FOSSÉS
LES PIOCHEURS TOUCHÈRENT DE LEURS
HOUES UN GRAND COFFRE DE BRONZE.
ILS Y TROUVÈRENT NEUF FLACONS. CELUI
DU MILIEU RECOUVRAIT UN LIVRE GROS,
GRAS, GRAND, GRIS, JOLI, PETIT ET MOISI.

C'EST DANS CE LIVRE QUE FUT TROUVÉE
LA GÉNÉALOGIE, ENTIÈREMENT ÉCRITE EN LETTRES
DE CHANCELLERIE ; TOUTEFOIS ELLES ÉTAIENT SI USÉES
QU'IL ÉTAIT PRESQUE IMPOSSIBLE D'EN RECONNAÎTRE
TROIS DE SUITE. QUOIQUE BIEN PEU COMPÉTENT, JE FUS
APPELÉ, ET À GRAND RENFORT DE BÉSICLES, JE TRADUISIS
CE LIVRE EN PANTAGRUÉLISANT, AINSI QUE VOUS POURREZ
LE VOIR, C'EST-À-DIRE EN BUVANT.

LA VIE TRÈS HORRIFIQUE
DU GRAND

GARGANTUA
PÈRE DE PANTAGRUEL

JADIS COMPOSÉE PAR
MAÎTRE ALCOFRIBAS
ABSTRACTEUR DE
QUINTE ESSENCE

Grandgousier
était le plus joyeux compère
de son temps
et le plus franc buveur
qui fût au monde.
Lorsqu'il eut atteint l'âge d'homme,
il épousa Gargamelle,
fille du roi des Parpaillos,
belle fille et de bonne trogne.
Ils firent souvent ensemble
la bête à deux dos,
se frottant joyeusement leur lard,
si bien qu'elle devint grosse
d'un beau   fils
qu'elle porta
jusqu'au onzième mois.

PAR UNE BELLE JOURNÉE DE PRINTEMPS, LE BON ROI GRANDGOUSIER OUVRIT LES FENÊTRES DE SON CHÂTEAU, RESPIRA À PLEINS POUMONS ET...

VOILÀ UN BIEN BEAU JOUR TOUT DESTINÉ À GRANDE FÊTE CHAMPÊTRE. QUE L'ON CONVIE TOUS LES CITADINS DE SUILLÉ AU GUÉ-DE-VÈDE SANS OUBLIER CEUX DU COUDRAY !!

GRANDGOUSIER SE RENDIT DANS LES PRÉS AVEC GARGAMELLE, LUI CONSEILLANT TOUTEFOIS DE NE POINT TROP MANGER VU QU'ELLE APPROCHAIT DE SA DÉLIVRANCE ET QUE LA TRIPAILLE N'ÉTAIT PAS VIANDE TRÈS RECOMMANDABLE.

ON FIT LES CHOSES EN GRAND COMME LE VOULAIT LE ROI.

13

Voici de quelle manière Gargamelle enfanta :
et si vous ne le croyez pas,
que le fondement vous échappe !

Il lui échappa un après-midi de février,
après qu'elle eut mangé de grasses tripes de coiraux.
Les coiraux sont des bœufs engraissés à l'étable
et dans les prés que l'on fauche deux fois l'an.
On avait fait tuer trois cent soixante-sept mille
et quatorze de ces bœufs gras pour qu'ils soient salés
le mardi gras et que l'on eût au printemps des salaisons
à foison. Car le salé, pris au début des repas,
fait bien mieux descendre le vin.

Les tripes furent copieuses et si succulentes que chacun s'en
léchait les doigts. Mais il était difficile de
les conserver longtemps car elles se seraient pourries,
ce qui aurait été indécent; aussi décida-t-on
de les manger, sans rien en perdre.

Grandgousier y prenait grand plaisir et déclara :
"On a grande envie de mâcher de la merde,
si on mange ce qui l'enveloppe." Gargamelle en
mangea seize muids, deux tonneaux et six pots.
Ô la belle matière fécale qui devait boursoufler en elle !

Peu après, Gargamelle commença à se sentir mal du bas.
Elle se mit à soupirer, à se lamenter et à crier.
De tous côtés vinrent en nombre des sages-femmes.
Elles la tâtèrent et trouvèrent quelques membranes
d'assez mauvais goût et elles pensaient que
c'était l'enfant : ce n'était que le fondement qui lui échappait
par suite du ramollissement du boyau culier.
C'est qu'elle avait mangé trop de tripes,
ainsi que nous l'avons dit.

Une vieille répugnante lui donna un astringent
si horrible que tous ses sphincters en furent obstrués
et resserrés. Cet obstacle fit que les cotylédons de la matrice
se relâchèrent, l'enfant jaillit d'un bond
et entra dans la veine cave puis, grimpant à travers
le diaphragme jusqu'au-dessus des épaules, à l'endroit
où la veine se partage en deux, il prit son chemin à gauche
et sortit par l'oreille.

À L'ENTOUR ON MENAIT GRANDE FÊTE LES FLACONS TOURNAIENT, LES JAMBONS TROTTAIENT, LES GOBELETS ET LES VERRES TINTAIENT.

OR ÇA, À BOIRE !!

DU BLANC !! VERSE PAR LE DIABLE !! LA LANGUE ME PÈLE.

SI MON MEMBRE PISSAIT TELLE URINE, LE VOUDRIEZ-VOUS SUCER ?

C'EST AU MILIEU DE CETTE LIESSE GÉNÉRALE QUE LA REINE GARGAMELLE ACCOUCHA DE SON PETIT (FAÇON DE PARLER) CAR COMME SES PÈRE ET MÈRE C'ÉTAIT UN GÉANT.

À PEINE EUT-IL LES YEUX OUVERTS QU'IL SE MIT À BRAILLER.

A BOIRE! A BOIRE! A BOIRE!

LE ROI, SON PÈRE, LE REGARDAIT AVEC UNE LÉGITIME FIERTÉ.

QUE GRAND TU AS LE GOSIER !!

ENTENDANT CELA LES ASSISTANTS DIRENT QUE GARGANTUA DEVAIT ÊTRE SON NOM. PUIS, ON LE BAPTISA ET JUSQU'À CINQ ANS IL PASSA SON TEMPS À MANGER, DORMIR ET BOIRE ; DORMIR, BOIRE ET MANGER.

15

De l'adolescence de Gargantua.

Ce petit paillard pelotait toujours ses gouvernantes,
sens dessus dessous, sens devant derrière,
hardi bourricot ! Et il commençait déjà à exercer
sa braguette que chaque jour elles ornaient de beaux bouquets,
de beaux rubans, de belles fleurs,
de belles guirlandes ; elles passaient leur temps
à la faire monter entre leurs mains comme
la pâte dans le pétrin, puis elles s'esclaffaient
quand elle levait les oreilles,
comme si le jeu leur avait plu.
L'une l'appelait mon petit robinet
l'autre ma pine, une autre ma branche de corail,
une autre mon bouchon, mon vilebrequin,
mon piston, ma tarière, ma pendeloque,
mon dressoir, ma petite andouille vermeille,
ma petite couille bredouille.
- Elle est à moi, disait l'une.
- C'est la mienne, disait l'autre.
- Moi, je n'y aurais pas droit ? disait une autre.
Par ma foi, je vais donc la couper !
- Ah ! La couper ! disait l'autre, vous lui feriez mal, Madame ;
coupez-vous la chose aux enfants ?
On l'appellerait Monsieur sans queue !

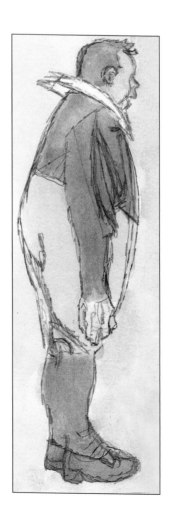

SÛR QUE BIEN ÉDUQUÉ IL PARVIENDRAIT À HAUT DEGRÉ DE SAGESSE, GRANDGOUSIER CONFIA SON FILS À DE GRANDS SAVANTS. IL MIT CINQ ANS ET TROIS MOIS POUR APPRENDRE SON ALPHABET QU'IL DISAIT PAR CŒUR ET À REBOURS. IL APPRIT À ÉCRIRE EN GOTHIQUE ET EMPLOYA TREIZE ANS, SIX MOIS ET DEUX SEMAINES À LIRE DE DOCTES TRAITÉS DE THÉOLOGIE. MAIS TOUT CELA N'OCCUPAIT PAS PLEINEMENT SON ESPRIT, IL S'INTÉRESSAIT PLUS AU VOL DES MOUCHES ET À CERTAINES EXPÉRIENCES.

UN JOUR GRANDGOUSIER DE RETOUR D'UNE CAMPAGNE VICTORIEUSE FIT APPELER GARGANTUA.

LES GOUVERNANTES SE PLAIGNENT DE TOI. TU AS COUVERT DE MERDE LEURS BONNETS, LEURS CHAPERONS, LES DRAPS, LES COUVERTURES, LES RIDEAUX ET LES COUSSINS... QUE DIABLE AS-TU DONC FAIT LÀ ?

J'AI ESSAYÉ AVEC UN OREILLER, UNE PANTOUFLE, UN PANIER PUIS UN CHAPEAU DE FEUTRE, UNE POULE, UN COQ, UN CORMORAN ... MAIS IL N'Y A DE MEILLEUR TORCHE-CUL QU'UN OISON BIEN DUVETÉ POURVU QU'ON LUI TIENNE LA TÊTE ENTRE LES JAMBES, CAR VOUS SENTEZ AU TROU DU CUL UNE VOLUPTÉ MIRIFIQUE TANT PAR LA DOUCEUR DE CE DUVET QUE PAR LA CHALEUR TEMPÉRÉE DE L'OISON.

JE VOULAIS TROUVER LE MOYEN LE PLUS EXCELLENT POUR ME TORCHER LE CUL.

GRANDGOUSIER RECONNUT L'ESPRIT MERVEILLEUX DE GARGANTUA ET DÉCIDA SUR L'INSTANT DE L'ENVOYER À LA SORBONNE.

JE VEUX QU'IL FASSE BELLE FIGURE DANS LA CAPITALE.

SON PÈRE ORDONNA QU'ON LUI FÎT DES HABITS. POUR SON POURPOINT ON LEVA HUIT CENT TREIZE AUNES DE SATIN BLANC. POUR SES CHAUSSES ON LEVA ONZE CENT CINQ AUNES D'ÉTOFFE DE LAINE ET POUR SES SOULIERS ON EMPLOYA ONZE CENTS PEAUX DE VACHES BRUNES.

TOUS LES TAILLEURS AINSI QUE LES CORDONNIERS DU ROYAUME S'EMPLOYÈRENT À TRAVAILLER PENDANT DES JOURS...

À CETTE MÊME ÉPOQUE, LE ROI DE NUMIDIE ENVOYA À GRANDGOUSIER LA JUMENT LA PLUS ÉNORME ET LA PLUS MONSTRUEUSE QUI SE FÛT JAMAIS VUE. ELLE ÉTAIT GRANDE COMME SIX ÉLÉPHANTS.

18

DU HAUT DE SON CHÂTEAU GRANDGOUSIER LA VIT ARRIVER.

VOICI CE QU'IL ME FAUT POUR PORTER MON FILS À PARIS.

LE LENDEMAIN, APRÈS BOIRE, COMME VOUS LE SUPPOSEZ BIEN, GARGANTUA PARTIT AVEC SON PRÉCEPTEUR PONOCRATES ET SES GENS AINSI QUE SON JEUNE PAGE EUDÉMON.

PAR MA FOI, CE PETIT VIN ÉTAIT FORT BON !

LE VOYAGE FUT JOYEUX ET ILS FIRENT BONNE CHÈRE S'ARRÊTANT DANS TOUTES LES AUBERGES.

ET LA FRICASSÉE EXCELLENTE !

GARGANTUA MANGEAIT ET BUVAIT SANS TRÊVE NI RÉPIT.

JE DIS ET J'AFFIRME QU'UN CORPS BIEN NOURRI ÉLÈVE L'ESPRIT VERS DE NOBLES PENSÉES.

JE ME DEMANDE CE QUI PEUT METTRE L'HOMME EN MEILLEURE DISPOSITION QU'UN BON REPAS. AVEZ-VOUS JAMAIS VU DES PERSONNES MAUVAISES OU DE MÉCHANTE HUMEUR APRÈS AVOIR APPRÉCIÉ UN BON PLAT ?

JUSTE ! PLUS QUE JUSTE !

BRAVO ! VOS MAXIMES METTENT DU BAUME SUR MON CŒUR DE PRÉCEPTEUR... JE SUIS CONTENT DE VOUS...

19

ET C'EST POUR CELA QUE J'AFFIRME QU'AVANT D'ENTREPRENDRE TOUTE ACTION D'IMPORTANCE IL EST IMPÉRATIF DE SE METTRE À TABLE.

QUELQUES JOURS PLUS TARD, ILS ARRIVÈRENT AU-DESSUS D'ORLÉANS. IL Y AVAIT UNE GRANDE FORÊT, LONGUE DE TRENTE CINQ LIEUES ET LARGE D'ENVIRON DIX-SEPT.

LA MAXIME DE GARGANTUA SE RÉPANDIT DANS TOUT LE PAYS ET C'EST AINSI QU'AVANT DE CONCLURE TOUTE AFFAIRE ON PRIT L'HABITUDE DE PARTAGER UN BON REPAS.

SANS MÉFIANCE, ILS PÉNÉTRÈRENT DANS LES SOUS-BOIS.

QUELLE OMBRE FRAÎCHE ET DÉLICIEUSE... QUELLES ODEURS AGRÉABLES ET SUBTILES... C'EST UN PLAISIR DE RESPIRER CET AIR.

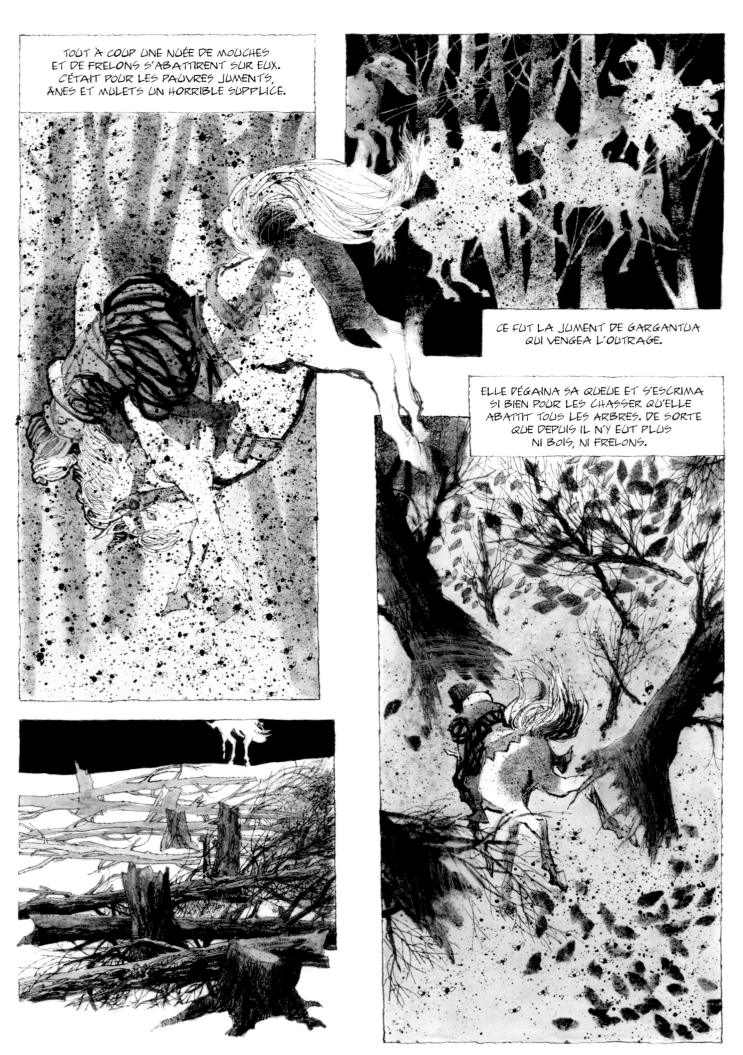

TOUT À COUP UNE NUÉE DE MOUCHES
ET DE FRELONS S'ABATTIRENT SUR EUX.
C'ÉTAIT POUR LES PAUVRES JUMENTS,
ÂNES ET MULETS UN HORRIBLE SUPPLICE.

CE FUT LA JUMENT DE GARGANTUA
QUI VENGEA L'OUTRAGE.

ELLE DÉGAINA SA QUEUE ET S'ESCRIMA
SI BIEN POUR LES CHASSER QU'ELLE
ABATTIT TOUS LES ARBRES. DE SORTE
QUE DEPUIS IL N'Y EUT PLUS
NI BOIS, NI FRELONS.

21

JE TROUVE
BEAU CE !!

AINSI PARLA GARGANTUA EN VOYANT TOUT LE PAYS
TRANSFORMÉ EN CAMPAGNE, C'EST POURQUOI DEPUIS LORS
ON APPELLE CET ENDROIT LA BEAUCE.

LA GRANDE BÊTE CARACOLA PENDANT UNE BONNE DEMI-HEURE,
PLUS FIÈRE DE SA VICTOIRE
QU'ALEXANDRE LE GRAND APRÈS LA CONQUÊTE DE L'ASIE.

GARGANTUA REPRIT SON VOYAGE
À BON TRAIN ET BIENTÔT,
TOUS ARRIVÈRENT
AUX PORTES DE PARIS.

ET OUI, POUR MANGER ON DOIT
SE PLIER À LA RÈGLE SUIVANTE :
QUAND LE VENTRE EST PLEIN
IL CONVIENT DE S'ARRÊTER.
POUR CE QUI EST DE BOIRE,
AU CONTRAIRE, LE MIEUX EST
DE NE S'ARRÊTER QUE QUAND
LA SEMELLE DES PANTOUFLES
A GONFLÉ DE MOITIÉ.

ILS S'Y RAFRAÎCHIRENT DEUX
OU TROIS JOURS, Y FAISANT
JOYEUSE CHÈRE, S'INQUIÉTANT DE
SAVOIR QUELS SAVANTS ÉTAIENT
ALORS DANS LA VILLE ET QUEL
VIN ON Y BUVAIT.

23

Alors, en souriant, il déboutonna
sa belle braguette, et, tirant à l'air
sa mentule, les compissa si roidement
qu'il en noya deux cent soixante mille
quatre cent dix-huit,
sans compter les femmes
et les petits enfants.
Quelques-uns, grâce à l'agilité
de leurs pieds purent échapper
à ce pissefort. Et, lorsque suant,
toussant, crachant, hors d'haleine,
ils arrivèrent sur la colline de
l'Université, ils se mirent à blasphémer et à jurer :
" Les blagues de Dieu ! Par saint Fiacre !
Le Diable m'emporte !
Par saint Andouille ! Par saint Guodegrin
qui fut martyrisé de pommes cuites !
Par saint Vit !
Nous sommes baignés par ris ! "
C'est ainsi que la ville fut nommée Paris.

LORSQUE TOUT LE MONDE SE FUT
DISPERSÉ, GARGANTUA REGARDA
LES GROSSES CLOCHES ET LES FIT
SONNER TRÈS HARMONIEUSEMENT.

EN VÉRITÉ
ELLES TINTENT
BIEN JOLIMENT !

GARGANTUA MIT LES CLOCHES DANS SA POCHE ET LES EMPORTA EN SON LOGIS.

ELLES POURRAIENT BIEN SERVIR DE CLOCHETTES AU COU DE MA JUMENT SI JE LA RENVOYE À MON PÈRE TOUTE CHARGÉE DE FROMAGES DE BRIE ET DE HARENGS FRAIS.

TOUTE LA VILLE ENTRA EN SÉDITION. LE PEUPLE EN ÉBULLITION SE RASSEMBLA.

QUE L'ON NOUS RENDE NOS CLOCHES !!

NOUS VOULONS NOS CLOCHES !!

IL FAUT FAIRE QUELQUE CHOSE !!

DU CALME... DU CALME MES AMIS... PAR LA FORCE NOUS N'OBTIENDRONS RIEN. ENVOYONS UNE DÉLÉGATION CONDUITE PAR LE VIEUX DOCTEUR DE L'UNIVERSITÉ, LE MEILLEUR ORATEUR: MAÎTRE JANOTUS DE BRAGMARDO.

TONDU À LA CÉSAR, L'ESTOMAC BIEN LESTÉ DE COTIGNAC ET D'EAU BÉNITE DE CAVE, MAÎTRE JANOTUS SE RENDIT AU LOGIS DE GARGANTUA.

25

LA DÉLÉGATION ARRIVA ET RENCONTRA PONOCRATES, EFFRAYÉ DE LES VOIR AINSI DÉGUISÉS, IL CROYAIT QU'ILS AVAIENT PERDU LA RAISON.

QUI ÊTES-VOUS ? QUE NOUS VAUT L'HONNEUR DE VOTRE VISITE ?

VOUS AVEZ DEVANT VOUS JANOTUS DE BRAGMARDO, MAÎTRE EN ÉLOQUENCE, ÉMINENT DOCTEUR DE LA FACULTÉ THÉOLOGALE ETC... ETC...

J'AI ÉTÉ INVESTI DE LA CHARGE DE VOUS EXPOSER LES HORRIBLES INCONVÉNIENTS DE LA PERTE DES CLOCHES... JE DEMANDE QUE LES CLOCHES NOUS SOIENT RENDUES.

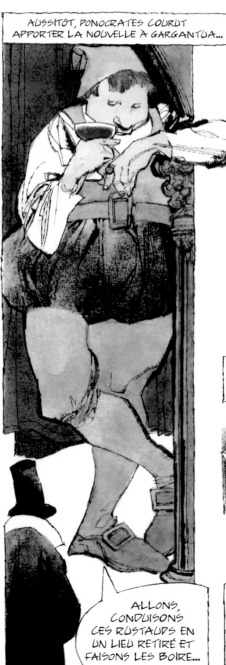

AUSSITÔT, PONOCRATES COURUT APPORTER LA NOUVELLE À GARGANTUA...

ALLONS, CONDUISONS CES RUSTAUDS EN UN LIEU RETIRÉ ET FAISONS LES BOIRE...

ENTRE-TEMPS FAITES VENIR LE PRÉVÔT, RENDEZ-LUI LES CLOCHES ET NOUS DEMANDERONS AU THÉOLOGIEN DE NOUS EXPOSER LE BUT DE SA MISSION ET NOUS ÉCOUTERONS SA BELLE HARANGUE.

C'EST CE QUI FUT FAIT. PUIS JANOTUS DE BRAGMARDO FUT INTRODUIT DEVANT GARGANTUA.

HEN ! HEN ! BONJOUR... MONSIEUR, IL NE SERAIT QUE BON QUE VOUS NOUS RENDISSIEZ NOS CLOCHES, CAR ELLES NOUS SONT BIEN NÉCESSAIRES. HEN ! HEN ! HASCH !

... UNE VILLE SANS CLOCHE
EST COMME UN AVEUGLE
SANS BÂTON, UN ÂNE
SANS CROUPIÈRE, UNE VACHE
SANS CLARINE.
ÉCOUTEZ, SEIGNEUR,
IL Y A DIX-HUIT JOURS
QUE JE SUIS À FAIRE
CETTE HARANGUE.
RENDEZ À CÉSAR CE
QUI EST À CÉSAR...

SI, À MA REQUÊTE,
VOUS NOUS LES RENDEZ,
J'Y GAGNERAI DIX PANS DE SAUCISSES
ET UNE BONNE PAIRE DE CHAUSSES
QUI FERONT GRAND BIEN À MES JAMBES.
SI VOUS NE ME LES RESTITUEZ,
JE N'EN AURAI RIEN.
OH ! PAR DIEU UNE PAIRE DE CHAUSSES
EST SI BONNE CHOSE !

JUSQU'À CE QUE VOUS
NOUS LES AYEZ RENDUES, NOUS NE
CESSERONS DE CRIER APRÈS VOUS
COMME UN AVEUGLE QUI A PERDU
SON BÂTON, DE BRAIRE COMME UN
ÂNE SANS CROUPIÈRE ET DE BRAMER
COMME UNE VACHE SANS CLARINE...
J'AI TERMINÉ. APPLAUDISSEZ.

UN ÉCLAT DE RIRE SALUA
LA FIN DE LA PÉRORAISON.

SOYEZ
RASSURÉ,
MAÎTRE JANOTUS,
LES CLOCHES SONT
À LEUR PLACE,
ÉCOUTEZ-LES
DONC...

27

LES CLOCHES DE LA CATHÉDRALE
AVAIENT RECOMMENCÉ À SONNER
ET ELLES CONTINUÈRENT AINSI
TOUTE LA JOURNÉE...

MAIS COMME TOUS, NOUS AVONS APPRÉCIÉ
LE DIVERTISSEMENT DE VOTRE JOYEUSE
HARANGUE, NOUS VOUS DONNERONS
DES SAUCISSES, UNE PAIRE DE CHAUSSES,
VINGT CINQ MUIDS DE VIN ET UN LIT
À TRIPLE COUCHE DE PLUMES D'OIE.

LES CLOCHES REMISES À LEUR PLACE,
LES CITOYENS DE PARIS S'OFFRIRENT POUR
ENTRETENIR ET NOURRIR LA JUMENT. GARGANTUA
ACCEPTA DE BONNE GRÂCE ET IL SOUHAITA
DE TOUT SON CŒUR SE LIVRER AUX ÉTUDES.

SOUS LA CONDUITE DE PONOCRATES ET L'AIDE
DES PLUS GRANDS MAÎTRES GARGANTUA
FAISAIT DE MERVEILLEUX PROGRÈS
DANS TOUTES LES SCIENCES.

28

IL S'ÉVEILLAIT À QUATRE HEURES DU MATIN, ON LUI RAPPELAIT LES LEÇONS DU JOUR PRÉCÉDENT ET PENDANT TROIS BONNES HEURES ON LUI FAISAIT LA LECTURE...

PUIS IL ALLAIT À L'ÉCOLE AVEC PONOCRATES...

EN CHEMIN, ILS EXAMINAIENT LES ARBRES, LES PLANTES, ET ADMIRAIENT L'ARCHITECTURE... À TABLE, ON LISAIT QUELQUES HISTOIRES ANCIENNES...

À INTERVALLES RÉGULIERS, ON ALTERNAIT LES EXERCICES DE L'ESPRIT AVEC CEUX DU CORPS...

EN PLEINE NUIT, ILS SE RENDAIENT À L'ENDROIT DU LOGIS LE PLUS ÉCARTÉ POUR VOIR LE CIEL ET NOTER LES CONJONCTIONS DES ASTRES... ET, APRÈS AVOIR RENDU GRÂCES, ILS S'ABANDONNAIENT AU SOMMEIL.

Comment
entre les fouaciers de Lerné
et les gens du pays de Gargantua
survint la grande querelle
qui causa de grosses guerres.

C'ÉTAIT, EN CE TEMPS-LÀ, LE COMMENCEMENT DE L'AUTOMNE ET LA SAISON DES VENDANGES ; LES BERGERS DE LA CONTRÉE GARDAIENT LES VIGNES POUR EMPÊCHER LES ÉTOURNEAUX DE MANGER LES RAISINS. À CETTE MÊME ÉPOQUE, LES FOUACIERS DE LERNÉ S'EN ALLAIENT PORTER DIX OU DOUZE CHARGES DE FOUACES À LA VILLE.

LES BERGERS LEUR DEMANDÈRENT DE LEUR EN DONNER POUR LEUR ARGENT. CAR C'EST UNE NOURRITURE CÉLESTE QUE DE MANGER À DÉJEUNER DE LA FOUACE FRAÎCHE ET DES RAISINS POUR CEUX QUI SONT CONSTIPÉS DU VENTRE.

SEIGNEURS FOUACIERS, NOUS SERA-T-IL PERMIS D'ACHETER UN PEU DE VOS FOUACES ?

ELLES NE SONT PAS POUR VOUS
BAVARDS, BRÈCHE-DENTS, VAURIENS,
CHIE-EN-LIT, PAILLARDS, HYPOCRITES,
FAINÉANTS, IVROGNES, FANFARONS,
RUSTRES, GUEUX, LOURDAUDS,
MALOTRUS, BOUVIERS D'ÉTRONS,
BERGERS DE MERDE !

VOUS N'ÊTES PAS DIGNES
DE MANGER DE CES BELLES
FOUACES ! CONTENTEZ-VOUS
DE GROS PAIN RASSIS
ET DE TOURTE !

MAIS
QUE VOUS ARRIVE-T-IL ?
CE N'EST PAS AGIR EN BONS VOISINS,
VOUS POURREZ VOUS EN REPENTIR SI
UN DE CES JOURS VOUS AVEZ AFFAIRE
À NOUS: NOUS VOUS RENDRONS ALORS
LA PAREILLE, SOUVENEZ-VOUS-EN !

VRAIMENT, TU FAIS LE COQ CE MATIN, TU AS MANGÉ TROP DE MIL HIER SOIR ! VIENS LÀ, JE VAIS T'EN DONNER DE MA FOUACE !

TRÈS VITE ILS EN VINRENT AUX MAINS, PUIS AUX BÂTONS ET ENFIN AUX PIERRES...

LES BERGERS LEUR PRIRENT QUATRE OU CINQ DOUZAINES DE FOUACES QUE, MALGRÉ TOUT, ILS PAYÈRENT AU PRIX HABITUEL; LES FOUACIERS S'ENFUIRENT...

LORSQU'ILS FURENT DE RETOUR À LERNÉ, LES FOUACIERS SE RENDIRENT DEVANT LEUR ROI PICROCHOLE ET DÉPOSÈRENT LEUR PLAINTE...

NOUS CHEMINIONS EN PAIX LORSQUE CES BUTORS NOUS ONT ASSAILLIS ET DÉTROUSSÉS SANS RAISON.

PICROCHOLE, À CE RÉCIT ENTRA DANS UNE COLÈRE FOLLE, ET, SANS DAVANTAGE DEMANDER POURQUOI, NI COMMENT TOUT CELA ÉTAIT ARRIVÉ...

QUE L'ON FASSE VENIR LE BAN ET L'ARRIÈRE BAN ‼ QUE TOUS, SOUS-PEINE D'ÊTRE PENDUS, SOIENT EN ARMES DEVANT LE CHÂTEAU AVANT MIDI ‼

PICROCHOLE PASSA L'ARMÉE EN REVUE ET DISTRIBUA LES AFFECTATIONS.

OYEZ, OYEZ : SA MAJESTÉ PICROCHOLE ORDONNE QUE...

À L'HEURE CONVENUE, LA PLACE ÉTAIT COUVERTE DE SOLDATS. ON COMPTAIT 16 014 ARQUEBUSIERS, 35 011 FANTASSINS, 914 CANONS, SERPENTINES, COULEUVRINES, BOMBARDES ET MORTIERS...

SEIGNEUR TREPELU, VOUS COMMANDEREZ L'AVANT-GARDE, AU GRAND ÉCUYER TOUCQUEDILLON JE CONFIE L'ARTILLERIE, LE DUC RACQUEDANARE PRENDRA L'ARRIÈRE-GARDE.

CAPITAINE ENGOULVENT, VOUS IREZ EN ÉCLAIREUR DÉCOUVRIR LE PAYS.

IL TROUVA LE PAYS CALME ET PAISIBLE, SANS LE MOINDRE RASSEMBLEMENT.

PAS LA MOINDRE EMBÛCHE.

PARFAIT ! CE SERA UNE BELLE SURPRISE.

ALORS, SANS ORDRE, NI MESURE, LES SOLDATS DE PICROCHOLE SE MIRENT EN CAMPAGNE, PILLANT ET RAVAGEANT TOUT SUR LEUR PASSAGE, N'ÉPARGNANT NI LE PAUVRE, NI LE RICHE, NI LIEU SACRÉ, NI PROFANE...

PERSONNE NE LEUR RÉSISTAIT; CHACUN LES SUPPLIAIT DE LES TRAITER AVEC PLUS D'HUMANITÉ.

PENDANT CE TEMPS-LÀ, À PARIS, GARGANTUA POURSUIVAIT AVEC ZÈLE SES ÉTUDES.

RETOURNONS AU ROYAUME DE GRANDGOUSIER OÙ PILLANT, VOLANT ET SACCAGEANT LES TROUPES DE PICROCHOLE ARRIVÈRENT À SEUILLÉ.

ON VOUS APPRENDRA À MANGER DE LA FOUACE !

PAR PITIÉ, ÉPARGNEZ-NOUS !

NOUS AVONS TOUJOURS ÉTÉ DE BONS VOISINS !

LE BOURG PILLÉ, PICROCHOLE PASSA LE GUÉ DE LA VÈDE AVEC LE GROS DE SES TROUPES.

À L'EXCEPTION DE SEPT COMPAGNIES DE GENS DE PIED ET DEUX CENTS LANCES QUI SE RENDIRENT À L'ABBAYE POUR PRENDRE LE CLOS ET DÉVASTER LA VENDANGE.

LES PAUVRES DIABLES DE MOINES NE SAVAIENT À QUEL SAINT SE VOUER. ILS CHANTÈRENT DE BEAUX PSAUMES ET LITANIES CONTRE L'ENVAHISSEUR ET POUR LA PAIX.

DANS L'ABBAYE, IL Y AVAIT UN MOINE, NOMMÉ FRÈRE JEAN DES ENTOMMEURES, JEUNE, HARDI, AVENTUREUX, DÉCIDÉ, GRAND, MAIGRE, BIEN FENDU DE LA GUEULE, BEAU DÉPÊCHEUR DE PRIÈRES, BEAU DÉBRIDEUR DE MESSES, POUR TOUT DIRE, UN VRAI MOINE S'IL EN FUT JAMAIS DEPUIS QUE LE MONDE MOINANT, MOINA DE MOINERIE.

CONTRA HOSTIUM INSIDIA LIBERA NOS DOMINE.

VENTRE SAINTJACQUES !!

Lorsqu'il entendit le bruit que faisaient les ennemis
dans le clos de la vigne, il sortit pour s'enquérir
de ce qu'ils faisaient. Il vit alors qu'ils vendangeaient
les raisins sur la récolte desquels les moines
fondaient leurs plus belles espérances ;
il retourna au chœur de l'église où étaient les autres frères,
tous étonnés comme des fondeurs de cloches.
Les entendant chanter, frère Jean s'écria :
"C'est bien chié chanté. Vertudieu, vous devriez plutôt chanter :
Adieu paniers, vendanges sont faites !
Je me donne au diable si les ennemis ne sont pas dans notre clos
coupant ceps et raisins tant et si bien qu'il n'y aura,
par le corps Dieu, rien à grapiller dedans avant quatre ans.
Ventre saint Jacques ! Que boirons-nous pendant ce temps-là, nous
autres pauvres diables ? Seigneur Dieu !
Ecoutez, messieurs, vous qui aimez le vin, suivez-moi.
Qu'hardiment saint Antoine me brûle si tâtent du pot
ceux qui n'auront point secouru la vigne !
Ventre Dieu ! Les biens de l'Eglise ! Ah ! Non, non. Diable !
Saint Thomas, l'Anglais voulut bien mourir pour eux.
Si j'en faisais autant, ne serais-je point saint aussi ?
Je ne mourrai pourtant pas,
car c'est moi qui ferai mourir les autres."

LE CRI DES BLESSÉS FUT SI GRAND, QUE LE PRIEUR SORTIT AVEC TOUS SES MOINES. LES JEUNES MOINILLONS IRRÉSISTIBLEMENT ATTIRÉS SE JETÈRENT DANS LA MÊLÉE.

FRÈRE JEAN, FRÈRE NOUS VOILÀ !!

CE FUT AINSI QUE FURENT DÉFAITS TOUS CEUX QUI ÉTAIENT ENTRÉS DANS LE CLOS, AU NOMBRE DE 13 622, SANS COMPTER, BIEN ENTENDU, LES FEMMES ET LES PETITS ENFANTS.

PENDANT CE TEMPS PICROCHOLE PASSA LE GUÉ DE VÈDE AVEC SES GENS ET ASSAILLIT LA ROCHE-CLERMAUD QUI NE LUI FIT AUCUNE RÉSISTANCE.

MAIS LAISSONS-LES LÀ ET RETOURNONS AU VIEUX BONHOMME GRANDGOUSIER QUI, APRÈS SOUPER, SE CHAUFFE LES COUILLES À UN GRAND FEU ET RACONTE À SA FAMILLE DE BEAUX CONTES DU TEMPS JADIS.

... PRENANT MON ÉLAN, JE SAUTAI SUR MON CHEVAL ET SANS TARDER JE...

IL LUI RACONTA LONGUEMENT LES EXCÈS ET LES PILLAGES DE PICROCHOLE.

UN DES BERGERS QUI GARDAIENT LES VIGNES VINT LE VOIR À CE MOMENT...

OH, MON BON ROI ! SI VOUS SAVIEZ...

PARLE MON FIDÈLE PILLOT, TU M'EFFRAYES...

HÉLAS ! HÉLAS ! MON VIEIL AMI VIENT M'ASSAILLIR ALORS QUE JAMAIS JE NE LUI AI CAUSÉ AUCUN DÉPLAISIR, NI DOMMAGE...

IL FAUT DONC QU'IL SOIT POSSÉDÉ PAR L'ESPRIT MALIN POUR M'OUTRAGER DE LA SORTE... HÉLAS ! MA MAIN TREMBLANTE DOIT PRENDRE LA LANCE ET LA MASSE POUR SECOURIR MES MALHEUREUX SUJETS... MALGRÉ TOUT, JE NE VEUX PAS ENTREPRENDRE LA GUERRE AVANT D'AVOIR ESSAYÉ PAR TOUS LES MOYENS DE MAINTENIR LA PAIX !

GRANDGOUSIER CONVOQUA SON CONSEIL ET LUI EXPOSA L'AFFAIRE. IL FUT CONCLU QU'ON ENVERRAIT UN HOMME SAGE ET PRUDENT AUPRÈS DE PICROCHOLE. DE PLUS, ON FERAIT CHERCHER GARGANTUA ET SES GENS POUR DÉFENDRE LE PAYS.

GARGANTUA, IGNORANT ENCORE CE QUI SE PASSAIT S'ADONNAIT PLUS QUE JAMAIS À SES ÉTUDES. IL APPRENAIT COMMENT TREMPER LES MÉTAUX, OBSERVAIT LES HORLOGERS, LES TEINTURIERS ET LES IMPRIMEURS...

GRANDGOUSIER ORDONNA À ULRICH GALLET, HOMME AVISÉ ET DISCRET, DE SE RENDRE AUPRÈS DE PICROCHOLE, DE LUI DEMANDER AUDIENCE ET DE LUI PARLER EN TOUTE FRANCHISE.

JE VIENS AU NOM DU ROI GRANDGOUSIER, MON MAÎTRE MÉCONTENT ET TRÈS PEINÉ, M'ENQUÉRIR DES RAISONS DE CES EXCÈS INCONCEVABLES.

QUELLE FURIE TE FAIT BRISER TOUTE ALLIANCE ET FOULER AUX PIEDS TOUTE AMITIÉ ? AS-TU SUPPOSÉ MON MAÎTRE ASSEZ LÂCHE POUR QU'IL NE RÉSISTE PAS ? PARS SUR-LE-CHAMP, ET RÉPARE LES DOMMAGES CAUSÉS.

AH AH ! VENEZ NOUS CHERCHER, COUILLES MOLLES ! ON VOUS EN DONNERA DE LA FOUACE !

... APAISE LA COLÈRE DE PICROCHOLE, FAIS LUI ENTENDRE RAISON SANS AVOIR RECOURS À LA FORCE.

ULRICH GALLET S'EN RETOURNA ET TROUVA GRANDGOUSIER À GENOUX, PRIANT DIEU.

41

MAIS L'AMBASSADEUR DUT DÉCEVOIR LES ATTENTES DE SON SOUVERAIN.

CET HOMME N'A PLUS SON BON SENS... IL PARLE DE CERTAINES FOUACES...

JE VEUX M'INFORMER DE CE QUI S'EST PASSÉ AVANT DE FAIRE QUOI QUE CE SOIT.

UNE ENQUÊTE FUT MENÉE ET, BIEN QUE LES TORTS FUSSENT PARTAGÉS, GRANDGOUSIER ORDONNA QUE SOIENT LIVRÉES EN DÉDOMMAGEMENT, CINQ CHARRETÉES DE FOUACES ET SEPT CENT MILLE PIÈCES D'OR.

GALLET FUT ENVOYÉ PORTER LE TOUT. MAIS PICROCHOLE NE CONSENTIT MÊME PAS À LE RECEVOIR ET S'EMPARA DE L'ARGENT, DES FOUACES, DES BŒUFS ET DES CHARRETTES.

LE DUC DE MENUAIL, LE COMTE SPADASSIN ET LE CAPITAINE MERDAILLE SE SENTANT PLUS FORTS QUE JAMAIS S'EXALTAIENT...

SIRE PICROCHOLE, NOUS VOUS PROCLAMONS LE PLUS VALEUREUX DES PRINCES DEPUIS ALEXANDRE LE GRAND !!

NOUS DIVISERONS L'ARMÉE EN DEUX.

CE SERA UNE PARTIE DE PLAISIR DE BATTRE GRANDGOUSIER.

AH! AH! AH!

L'AUTRE PARTIE, PENDANT CE TEMPS S'EN IRA EN GASCOGNE, PUIS À BAYONNE, VOUS SAISIREZ TOUS LES NAVIRES ET VOUS PILLEREZ TOUS LES PORTS JUSQU'À LISBONNE.

AH! AH! AH!

CORBLEU !

VOUS PRENDREZ L'ESPAGNE, CAR CE NE SONT QUE DES FAINÉANTS.
VOUS PASSEREZ LE DÉTROIT; VOUS ATTAQUEREZ LES ROYAUMES DE TUNIS ET D'ALGER.
PUIS, ALLANT PLUS LOIN, VOUS PRENDREZ LES ÎLES BALÉARES ET TOUTES LES AUTRES DU GOLFE DE GÊNES.
VOUS SOUMETTREZ LA PROVENCE, GÊNES, FLORENCE, LUCQUES
ET VOUS ENTREREZ À ROME. LE PAUVRE PAPE EN MEURT DÉJÀ DE PEUR !

...APRÈS AVOIR MIS À SAC TOUTES LES PROVINCES DE SOUABE ET DU WURTEMBERG, LA BAVIÈRE,
L'AUTRICHE, LA MORAVIE ET LA STYRIE; ILS ONT MARCHÉ BRAVEMENT SUR LA NORVÈGE, LA SUÈDE, LE GROENLAND.
CECI FAIT, ILS CONQUIÈRENT L'ÉCOSSE, L'ANGLETERRE, L'IRLANDE
ET, DE LÀ, NAVIGUANT SUR LA BALTIQUE, ILS ONT VAINCU ET DOMPTÉ LA PRUSSE, LA POLOGNE, LA RUSSIE,
LA TRANSYLVANIE, LA TURQUIE ET SONT À CONSTANTINOPLE.

ALLONS
LES RETROUVER, CAR JE VEUX ÊTRE
AUSSI EMPEREUR DE TRÉBIZONDE.
NE TUERONS-NOUS PAS TOUS CES CHIENS
DE TURCS ET DE MAHOMÉTANS ?

JAMAIS PICROCHOLE N'AVAIT TANT RI DE SA VIE,
MAIS CE FUT AUSSI LA DERNIÈRE FOIS, CAR, ENTRE-TEMPS, GARGANTUA SITÔT LUE LA LETTRE DE SON PÈRE,
S'ÉTAIT MIS EN CHEMIN AVEC PONOCRATES ET SES AMIS. EN HÂTE, IL RETOURNAIT DANS SON PAYS.

LE RESTE DE SA SUITE VENAIT À PETITES JOURNÉES, AMENANT TOUS SES LIVRES ET INSTRUMENTS DE PHILOSOPHIE.

GARGANTUA ARRIVA CHEZ LE SEIGNEUR DE LA VAUGUYON QUI, DE TOUT TEMPS, AVAIT ÉTÉ LEUR AMI ET ALLIÉ, IL LES RENSEIGNA ET SE DIT PRÊT À LES AIDER.

POUR RENTRER, IL VOUS FAUDRA PASSER LE GUÉ DE LA VÈDE, LÀ OÙ SE TROUVENT ENCORE EN GRAND NOMBRE LES SOLDATS DE PICROCHOLE.

GARGANTUA REMONTA SUR SA GRANDE JUMENT ET PARVINT AU BOIS DE LA VÈDE.

VOICI CE QU'IL ME FAUT, CET ARBRE ME SERVIRA DE BOURDON ET DE LANCE.

PENDANT CE TEMPS, LA JUMENT PISSA POUR SE LÂCHER LE VENTRE, ET CE FUT EN TELLE ABONDANCE QU'IL Y EUT UN VÉRITABLE DÉLUGE. LA VÈDE GROSSIT TELLEMENT QUE TOUTE LA BANDE D'ENNEMIS FUT HORRIBLEMENT NOYÉE.

45

ENTRE-TEMPS LE PAGE EUDÉMON AVAIT EXPLORÉ LE PAYS.

ILS SE SONT RETRANCHÉS DANS LE CHÂTEAU.

ÊTES-VOUS LÀ, OU N'Y ÊTES-VOUS PAS ? SI VOUS Y ÊTES, ALLEZ-VOUS EN ! SI VOUS N'Y ÊTES PAS, JE N'AI RIEN À DIRE.

TRÈS BIEN ! JE VAIS M'EN OCCUPER MAINTENANT.

MAIS UN RIBAUD DE CANONNIER QUI SE TROUVAIT AU MÂCHICOULIS LUI TIRA UN COUP DE CANON.

QU'EST CELA ? VOUS NOUS JETEZ DES GRAINS DE RAISIN ? LA VENDANGE VOUS COÛTERA CHER !

AU PREMIER COUP SUCCÉDÈRENT PLUS DE NEUF MILLE VINGT-CINQ COUPS DE FAUCONNEAU ET D'ARQUEBUSE, VISANT TOUS LA TÊTE.

47

IL NE S'ARRÊTA QUE LORSQUE LE CHÂTEAU FUT RASÉ ET TOUS MIS EN PIÈCES AVEC SON GRAND ARBRE.

SORTIS DU GUÉ DE LA VÈDE, ILS ARRIVÈRENT PEU DE TEMPS APRÈS AU CHÂTEAU DE GRANDGOUSIER QUI LES ATTENDAIT AVEC GRANDE IMPATIENCE.

ILS FIRENT FÊTE ET JAMAIS ON NE VIT DE GENS PLUS JOYEUX. GARGANTUA SE CHANGEA ET SE PEIGNA...

PAR DIEU ! MON FILS, NOUS AS-TU RAPPORTÉ DES POUX DE PARIS ?

CE SONT DES COUPS DE CANON QUE VOTRE FILS REÇUT DEVANT LES BOIS DE VÈDE. MAIS VOS ENNEMIS FURENT BIEN RÉCOMPENSÉS... JE SUIS D'AVIS DE LES POURSUIVRE PENDANT QUE LA CHANCE EST AVEC NOUS.

CERTES, MAIS CE NE SERA PAS CE SOIR, CAR JE VEUX VOUS FAIRE FÊTE. SOYEZ DONC LES BIENVENUS.

Cela dit on apprêta le souper et en supplément
on fit rôtir seize bœufs, trois génisses,
trente-deux veaux, soixante-trois chevreaux,
quatre-vingt-quinze moutons,
trois cents cochons de lait,
deux cent vingt perdrix, sept cents bécasses,
quatre cents chapons du Loudunois
et de Cornouailles, six mille poulets
et autant de pigeons, six cents gélinottes,
quatorze cents levreaux, trois cents outardes
et mille sept cents chapons gras.
Comme plats de venaison,
on ne put se procurer que onze sangliers
qu'envoya l'abbé de Turpenay
et dix-huit bêtes fauves que donna
le seigneur de Grandmont,
cent quarante faisans qu'envoya le seigneur
des Essarts et quelques douzaines de ramiers,
d'oiseaux de rivière, tels que sarcelles, butors, courlis,
pluviers, oies, bécassines, tadornes,
spatules, hérons, héronneaux, poules d'eau, aigrettes,
cigognes, canards sauvages, flamants, poules d'Inde,
tout cela sans omettre
force couscous et abondants potages.

50

AIDEZ-MOI, PAR LE DIABLE ! EST-CE LE MOMENT DE JASER ? ALLEZ, DÉLIVREZ-MOI !

VOTRE COMPARAISON EST MAUVAISE, ABSALON SE PENDIT PAR LES CHEVEUX, TANDIS QUE LE MOINE, AYANT LA TÊTE RASÉE S'EST PENDU PAR LES OREILLES.

ASSEZ PRÊCHÉ, AIDEZ-MOI DE PAR DIEU !

MAINTENANT DÉBARRASSONS-NOUS DE TOUTE CETTE FERRAILLE. QU'ON ME RENDE MON BÂTON DE CROIX !

AYANT JETÉ SON ARMURE, FRÈRE JEAN REMONTA SUR SON CHEVAL ET S'EN ALLA JOYEUSEMENT AVEC SES COMPAGNONS. LE PAGE EUDÉMON PARTIT EN AVANT-GARDE.

IL ME SEMBLE VOIR GRANDE FOULE...

IL S'AGISSAIT DE MILLE SIX CENTS CHEVALIERS ENVOYÉS PAR PICROCHOLE SOUS LA CONDUITE DU COMTE DE TIRAVANT, TOUS BIEN ASPERGÉS D'EAU BÉNITE...

COMPAGNONS, ILS SONT DIX FOIS PLUS NOMBREUX QUE NOUS. ALLONS-NOUS LES COGNER ?

QUE DIABLE ALLONS-NOUS FAIRE ? COGNONS, DIABLES, COGNONS !!

RIEN QU'À NOUS VOIR, ILS SONT EFFRAYÉS. DEVONS-NOUS LES POURSUIVRE ?

MAIS FRÈRE JEAN, N'ÉCOUTANT PAS, PARTIT AU GRAND GALOP ET COURUT APRÈS LES FUYARDS.

NULLEMENT, EN BONNE RÈGLE MILITAIRE, IL NE FAUT JAMAIS DÉSESPÉRER SON ENNEMI, CAR CELUI QUI N'ESPÈRE AUCUN SALUT, VOIT SES FORCES MULTIPLIÉES. OUVREZ À VOS ENNEMIS, TOUTES LES PORTES ET CHEMINS ET FAITES-LEUR PLUTÔT UN PONT D'ARGENT POUR LES RENVOYER.

LES ENNEMIS SE RETOURNÈRENT ET VOYANT QUE LE MOINE ÉTAIT SEUL, ILS LE CHARGÈRENT DE COUPS.

CELUI-LÀ NOUS L'AVONS PRIS ! QUE DEUX ARCHERS LE GARDENT. ET MAINTENANT, RETOURNONS À L'ASSAUT ET CAPTURONS SES COMPÈRES.

ET AINSI SOUS LES ORDRES DU COMTE TIRAVANT QUI AVAIT ORDONNÉ LA RETRAITE, LES CHEVALIERS TOURNÈRENT BRIDE, LAISSANT FRÈRE JEAN BIEN PEU GARDÉ...

" COMPAGNONS, J'ENTENDS LES ENNEMIS QUI S'APPROCHENT. CACHONS-NOUS ICI ET TENONS LE CHEMIN EN BON RANG. NOUS LES RECEVRONS AINSI À LEUR PERTE ET À NOTRE HONNEUR."

53

COMMENÇA ALORS UNE BATAILLE ÉPIQUE.

FRÈRE JEAN NE RESTA PAS LONGTEMPS PRISONNIER.

UNE FOIS LIBRE, IL SE PRÉCIPITA SUR LE CHAMP DE BATAILLE. AVEC SON GRAND BRAQUEMART, IL FRAPPAIT SUR LES FUYARDS À GRANDS TOURS DE BRAS SANS SE MÉNAGER, NI ÉPARGNER PERSONNE. IL EN MIT À TERRE, ET EN TUA TANT QUE SON BRAQUEMART SE ROMPIT EN DEUX MORCEAUX...

IL SE DIT QUE C'ÉTAIT ASSEZ MASSACRÉ, ET QUE LE RESTE POUVAIT ÉCHAPPER POUR EN PORTER LA NOUVELLE. IL FIT PRISONNIER TOUCQUEDILLON.

AUTOUR DE GARGANTUA, IL NE RESTAIT PAS UN SOLDAT DE PICROCHOLE SUR PIED. CETTE ESCARMOUCHE ACHEVÉE, ILS SE RENDIRENT CHEZ GRANDGOUSIER. ON LEUR FIT GRANDE FÊTE.

ON PRÉPARA UN BON DÉJEUNER POUR LES RÉCONFORTER, MAIS L'ABSENCE DU MOINE CAUSAIT TANT D'INQUIÉTUDE À GARGANTUA, QU'IL NE VOULUT NI BOIRE NI MANGER.

IL VOULAIT ALLER LE CHERCHER...

DU VIN FRAIS ! DU VIN FRAIS, MES AMIS ! LE COMBAT M'A DONNÉ SOIF !

GARGANTUA ET SES COMPAGNONS LUI FIRENT LE MEILLEUR ACCUEIL ET LE MENÈRENT DEVANT GRANDGOUSIER QUI L'INTERROGEA SUR SON AVENTURE. PUIS ILS SE MIRENT TOUS ENSEMBLE À BANQUETER JOYEUSEMENT.

C'EST BEAUCOUP ENTREPRENDRE, ET QUI TROP EMBRASSE MAL ÉTREINT ! IL EÛT MIEUX FAIT DE RESTER CHEZ LUI À BIEN GOUVERNER SES DOMAINES QUE DE VENIR FAIRE DES VIOLENCES AUX MIENS.

LE PRISONNIER FUT PRÉSENTÉ À GRANDGOUSIER QUI L'INTERROGEA SUR LES MENÉES DE PICROCHOLE...

SON BUT ÉTAIT DE CONQUÉRIR TOUT LE PAYS S'IL LE POUVAIT, POUR VENGER L'INJURE FAITE À SES FOUACIERS.

PUIS, GRANDGOUSIER S'ADRESSA À FRÈRE JEAN.

...QUI SE COMPORTE EN BANDIT, SERA TRAITÉ COMME TEL !

JE VEUX QUE L'ON VOUS RENDE VOS ARMES ET VOTRE CHEVAL : C'EST AINSI QUE L'ON DOIT FAIRE ENTRE VOISINS ET ANCIENS AMIS, PUISQUE CE DIFFÉREND N'EST PAS VRAIMENT UNE GUERRE. ALLEZ-VOUS-EN ET DÉMONTREZ À VOTRE ROI SES ERREURS.

VOUS AVEZ PRIS LE CAPITAINE TOUCQUEDILLON, AVEZ-VOUS DEMANDÉ UNE RANÇON ?

NON, JE NE M'EN SOUCIE PAS, CE N'EST PAS CELA QUI ME GUIDE.

DE RETOUR, TOUCQUEDILLON SE PRÉSENTA À LA COUR DE PICROCHOLE.

MAJESTÉ, NOUS FAISONS DU TORT À GRANDGOUSIER. C'EST UN EXCELLENT ROI ET DE PLUS IL M'EST APPARU TRÈS PUISSANT !

IL N'AVAIT PAS ENCORE FINI DE PARLER...

TRAÎTRE, VENDU, LÂCHE, POLTRON, SÉDITIEUX, SOURNOIS, IMPUDENT ! ARCHERS, QU'ON LE METTE EN PIÈCES SUR LE CHAMP !

LES CHOSES EN ÉTANT LÀ, GRANDGOUSIER CONFIA LA CHARGE TOTALE DE L'ARMÉE À SON FILS GARGANTUA.

IL RASSEMBLA TOUTES LES TROUPES QUI ÉTAIENT STATIONNÉES À LA DEVINIÈRE, À CHAVIGNY, GRAVOT ET QUINQUENAYS. IL Y AVAIT 66 000 GENS DE PIED, 26 000 ARQUEBUSIERS, 200 PIÈCES D'ARTILLERIE ET 26 500 CHEVAU-LÉGERS. TOUS PARFAITEMENT ÉQUIPÉS.

LES TROUPES ÉTAIENT BIEN ENTRAÎNÉES ET, TRÈS DISCIPLINÉES, ELLES SUIVAIENT LES ORDRES DE LEURS OFFICIERS. CETTE REMARQUABLE ARMÉE GAGNA LE GUÉ DE LA VÈDE, ET À L'AIDE DE BATEAUX ET DE PONTS LÉGÈREMENT CONSTRUITS, ELLE PASSA D'UNE SEULE TRAITE DE L'AUTRE CÔTÉ.

PUIS, ON ATTENDIT EN BON ORDRE DANS LA PLAINE DEVANT LA ROCHE-CLERMAUD.

LA NUIT MÊME, PENDANT QUE LES TROUPES SE REPOSAIENT, GARGANTUA CONVOQUA UN BREF CONSEIL DE GUERRE.

SEIGNEUR, PAR NATURE ET PAR TEMPÉRAMENT LES FRANÇAIS NE SONT BONS QU'AU PREMIER ASSAUT, JE SUIS D'AVIS QUE NOUS PARTIONS À L'ATTAQUE, DÈS QUE NOS GENS AURONT SOUFFLÉ ET PRIS QUELQUE NOURRITURE.

CET AVIS ME SEMBLE BON. NOUS FERONS COMME TU LE CONSEILLES.

LE LENDEMAIN MATIN, GARGANTUA PLAÇA SON ARMÉE EN ORDRE DE BATAILLE.

L'ARTILLERIE ET LES TROUPES DE RÉSERVE SUR LES HAUTEURS ! QUE FRÈRE JEAN PRENNE AVEC LUI DEUX CENTS HOMMES D'ARMES, QU'ILS TRAVERSENT LES MARAIS ET REJOIGNENT LA ROUTE DE LOUDUN.

C'EST AINSI QUE SE DÉVELOPPA L'ATTAQUE. LES GENS DE PICROCHOLE ÉTAIENT INDÉCIS...

QUE FAISONS-NOUS ? VAUT-IL MIEUX TENTER UNE SORTIE OU GARDER LA VILLE SANS BOUGER ?

ALLONS BON ! JE SORTIRAI AVEC QUELQUES COMPAGNIES DE MA GARDE PERSONNELLE.

LE ROI PICROCHOLE SORTIT FURIEUSEMENT DE LA ROCHE-CLERMAUD...

BOOOMM

BOOM

... IL FUT REÇU ET FÊTÉ À GRANDS COUPS DE CANON.

QUELQUES SOLDATS AYANT ÉCHAPPÉ, À L'ARTILLERIE, SE RUÈRENT SUR LES GENS DE GARGANTUA, MAIS ILS FURENT BIEN REÇUS ÉGALEMENT.

C'EST POURQUOI ILS S'ENFUIRENT SANS ORDRE NI DISCIPLINE. GARGANTUA DIRIGEAIT LA MANŒUVRE DEPUIS LES HAUTEURS.

LE ROI PICROCHOLE AVAIT RASSEMBLÉ LES FUYARDS AUTOUR DE LUI POUR FAIRE FACE AUX TROUPES DE GARGANTUA.

ENVOYEZ UNE COMPAGNIE SUR LA GAUCHE. IL FAUT COUPER LA RETRAITE DE PICROCHOLE.

CETTE FOIS, LES GARGANTUISTES EURENT LE DESSOUS. PRIS ENTRE DEUX FEUX ILS SUBIRENT DE GRANDES PERTES À CAUSE DES FLÈCHES ET DE L'ARTILLERIE PLACÉE SUR LES REMPARTS.

QUE L'ON MITRAILLE CETTE PARTIE DES REMPARTS !

ENTRE TEMPS, FRÈRE JEAN ET LES SIENS TRAVERSAIENT LES MARAIS AVEC PEINE.

DOUCEMENT ! QUE PERSONNE NE NOUS ENTENDE.

ARRIVÉ SOUS LES REMPARTS, IL SE RENDIT COMPTE QUE CET ENDROIT ÉTAIT DÉGARNI. COURAGEUSEMENT, IL DÉCIDA DE DONNER L'ASSAUT À LA FORTERESSE.

QUE TROIS HOMMES ESCALADENT LE MUR ET, DE L'INTÉRIEUR, QU'ILS NOUS OUVRENT LES PORTES.

60

LES HOMMES D'ARMES ENVAHIRENT LA PLACE FORTE EN CRIANT HORRIBLEMENT...

... PUIS, ILS COURURENT VERS LA PORTE ORIENTALE OÙ LES ASSIÉGÉS S'ÉTAIENT RASSEMBLÉS POUR COLMATER LA BRÈCHE CAUSÉE PAR L'ARTILLERIE DE GARGANTUA.

... COMME TOUS SES GENS.

DANS LA FUITE, SON CHEVAL
TRÉBUCHA. DE COLÈRE,
IL LE TUA. PUIS IL VOULUT
PRENDRE UN ÂNE
QUI SE TROUVAIT PRÈS
D'UN MOULIN, MAIS
LES MEUNIERS LE ROUÈRENT
DE COUPS
ET LE DÉTROUSSÈRENT
DE SES VÊTEMENTS.

ON NE SAIT
CE QU'IL EST
DEVENU. ON DIT
QU'IL RENCONTRA
UNE VIEILLE SORCIÈRE
QUI LUI PRÉDIT
SON AVENIR.

AH, MON PAUVRE SEIGNEUR !
QUEL TRISTE SORT !
SACHEZ QUE VOUS
RETROUVEREZ
VOTRE ROYAUME...

VOUS ÊTES
SÛRE ? DITES-
MOI QUAND !
QUAND ?

QUAND VOUS
VERREZ LE RETOUR
DES COQUECIGRUES.

ON DIT QU'IL EST À PRÉSENT
UN PAUVRE GAGNE-PETIT À LYON,
COLÉRIQUE COMME AVANT,
SE LAMENTANT ET S'INFORMANT
DE LA VENUE DES COQUECIGRUES.

LA GUERRE FINIE, GARGANTUA
PASSA SES TROUPES EN REVUE
ET FIT RASSEMBLER CEUX QUI
RESTAIENT DES GENS DE
PICROCHOLE. IL DEMANDA
QU'ON LUI LIVRE LES FOUACIERS
QUI AVAIENT PROVOQUÉ
LA DISPUTE AINSI QUE LES
MAUVAIS CONSEILLERS QUI
AVAIENT POUSSÉ À LA GUERRE.

MAIS ON NE RETROUVA PAS
LES GÉNÉRAUX SPADASSIN, MERDAILLE
ET MENUAIL. ILS S'ÉTAIENT ENFUIS
SIX HEURES AVANT LA BATAILLE.

EN REVANCHE, ON TROUVA LES FOUACIERS ET ON LES CONDUISIT
DEVANT GARGANTUA.

JE
N'AIME PAS LA
VENGEANCE ET NE VOUS FERAI
AUCUN MAL, MAIS COMME UNE
TROP GRANDE MAGNANIMITÉ NE
SERAIT PAS ÉQUITABLE ET POURRAIT
INCITER D'AUTRES À VOULOIR FAIRE LE
MAL, J'AI DÉCIDÉ DE VOUS EMPLOYER
À SERRER LES PRESSES DE MON
IMPRIMERIE.

GARGANTUA POURVUT ENSUITE AUX DOMMAGES CAUSÉS À LA VILLE ET AUX HABITANTS ET LES FIT REMBOURSER. PUIS, ILS RETOURNÈRENT PRÈS DE GRANDGOUSIER QUI LEUR OFFRIT LE FESTIN LE PLUS MAGNIFIQUE, LE PLUS ABONDANT ET LE PLUS DÉLICIEUX QUE L'ON AIT VU.

VAINQUEURS ET VAINCUS TRINQUÈRENT ENSEMBLE. GARGANTUA PRIT ALORS LA PAROLE.

JE VOUS REMERCIE AVANT TOUT MES CHERS AMIS POUR VOTRE AIDE ET VOTRE SOUTIEN. LE TRÉSORIER DE MON PÈRE VOUS COMPTERA DE MANIÈRE TANGIBLE MA RECONNAISSANCE.

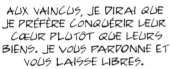

AUX VAINCUS, JE DIRAI QUE JE PRÉFÈRE CONQUÉRIR LEUR CŒUR PLUTÔT QUE LEURS BIENS. JE VOUS PARDONNE ET VOUS LAISSE LIBRES.

NOUS VOULONS TOUS ÊTRE DES SUJETS DE GARGANTUA ! **VIVE GARGANTUA !**

NON, JE N'AI PAS MENÉ UNE GUERRE DE CONQUÊTE. VOTRE ROI SERA LE FILS DE PICROCHOLE, MAIS COMME IL N'A PAS ACCOMPLI SES CINQ ANS, IL SERA INSTRUIT PAR LES SAVANTS DU ROYAUME. JE VEUX QUE PONOCRATES SOIT PRÈS DE LUI JUSQU'À CE QU'IL PUISSE RÉGNER. ET MAINTENANT, BUVONS À LA SANTÉ DE TOUS !

FAIRE PARTIE DU ROYAUME DE GARGANTUA SIGNIFIAIT MANGER À S'EN FAIRE PÉTER LA SOUS-VENTRIÈRE, BOIRE SANS SOIF, DORMIR EN TOUTE QUIÉTUDE ET TRAVAILLER À SON AISE. CE QUI NE VEUT PAS DIRE PEU, CAR TOUS SAVAIENT QUE S'ILS PRODUISAIENT DU BON VIN CE SERAIENT EUX QUI LE BOIRAIENT, QUE SI LA PÂTE ÉTAIT BIEN PÉTRIE ILS MANGERAIENT DU BON PAIN... ET TOUT CELA DANS L'ESTIME ET LA CONFIANCE RÉCIPROQUE. AINSI VIVAIT-ON DANS LE BEAU ROYAUME D'UTOPIE.

FIN

LIVRE DEUXIÈME

———

PANTAGRUEL

ROI DES DIPSODES
RESTITUÉ A SON NATUREL
AVEC
SES FAITS
ET
PROUESSES ÉPOUVANTABLES
COMPOSÉS
PAR FEU M. ALCOFRIBAS
ABSTRACTEUR DE QUINTE ESSENCE

PROLOGUE DE L'AUTEUR

Très illustres et très valeureux champions, gentilshommes et autres, qui volontiers vous adonnez à toutes occupations nobles et mondaines, vous avez naguère vu, lu et connu les *Grandes et Inestimables Chroniques de l'énorme géant Gargantua*, et comme de vrais croyants vous les avez crues comme un texte de la *Bible* ou du *Saint Évangile* et vous y avez maintes fois passé votre temps avec d'honorables dames et demoiselles leur en faisant de beaux et longs récits, alors que vous n'aviez rien à leur dire, ce qui vous rend digne de grande louange.

Et s'il n'en tenait qu'à moi chacun laisserait sa propre besogne et oublierait ses propres affaires pour s'y adonner entièrement sans que son esprit fût distrait jusqu'à ce qu'on les sût par cœur, afin que si d'aventure, il advenait que l'art de l'imprimerie disparaisse, ou bien au cas où tous les livres périraient, chacun pût à l'avenir les enseigner à ses enfants, car il y a plus de fruits à en tirer que ne le pensent un tas de gros fanfarons tout couverts de croûtes.

J'ai connu bon nombre de hauts et puissants seigneurs qui, lorsqu'ils allaient à la chasse aux grosses bêtes, s'il advenait de ne pas rencontrer la bête étaient bien marris, comme vous pouvez le supposer, trouvaient leur réconfort en se remémorant les inestimables faits dudit Gargantua.

Il y en a d'autres dans le monde (ce ne sont pas des fariboles) qui, étant affligés du mal de dents, après avoir dépensé tous leurs biens en médecins, n'ont pas trouvé de remède plus efficace que de mettre lesdites *Chroniques* entre deux beaux linges bien chauds et de les appliquer là où ils avaient mal, en cataplasme avec un peu de poudre d'oribus.

Mais que dirai-je des pauvres vérolés et goutteux ? Toute leur consolation était de se faire lire quelque page dudit livre.

N'est-ce pas rien, cela ? Trouvez-moi un livre, en quelque langue, discipline et science que ce soit, qui ait de telles vertus, et je vous paierai une chopine de tripes. Non, messieurs, non, il n'y en a point. Il est bien vrai que l'on trouve en certains livres dignes de mémoire certaines propriétés occultes, au nombre desquels l'on compte *Robert le Diable*, *Fierabras*, *Guillaume sans peur*, *Huon de Bordeaux*, *Montevieille* et *Matabrune*. Mais ils ne sont pas comparables à celui dont nous parlons.

Moi, votre humble esclave, voulant augmenter davantage vos passe-temps, je vous offre maintenant un livre du même acabit, si ce n'est qu'il est plus objectif et digne de foi que ne l'était l'autre. Jamais il ne m'arriva de mentir ou d'affirmer quelque chose qui ne fût pas véritable. J'en parle comme saint Jean de l'Apocalypse : " Nous témoignons de ce que nous avons vu ". Il s'agit des horribles faits et prouesses de Pantagruel que je servis depuis que je quittai l'enfance jusqu'à aujourd'hui.

Aussi, pour terminer ce prologue, je me donne à cent mille paniers de beaux diables, corps et âme, tripes et boyaux, au cas où je mente d'un seul mot dans toute l'histoire !

À L'ÂGE DE QUATRE CENT QUATRE-VINGT QUARANTE-QUATRE ANS, GARGANTUA DEVINT PÈRE D'UN FILS QUE LUI DONNA SA FEMME BADEBEC. ELLE MOURUT DANS LES DOULEURS DE L'ENFANTEMENT. L'ENFANT ÉTAIT SI GRAND ET SI LOURD QU'IL NE PUT VENIR AU MONDE SANS ÉTOUFFER SA MÈRE.

EN CETTE ANNÉE LA SÉCHERESSE FUT SI GRANDE DANS TOUT LE PAYS D'AFRIQUE, QUE TRENTE-SIX MOIS, TROIS SEMAINES, QUATRE JOURS ET TREIZE HEURES SE PASSÈRENT SANS PLUIE AVEC UNE CHALEUR SI ARDENTE QUE TOUTE LA TERRE ÉTAIT DEVENUE ARIDE.

Il n'était pas un arbre sur terre qui eût feuille ou fleur,
les herbes étaient sans verdure, les rivières taries,
les fontaines à sec ; les poissons sans leur élément
gémissaient horriblement par terre; les oiseaux tombaient du ciel
faute de rosée; on trouvait les lièvres, les belettes
et autres bêtes, morts dans les champs, la gueule ouverte.
En ce qui concerne les hommes, c'était la grande pitié,
vous les auriez vus tirant la langue comme des lévriers
qui ont couru six heures. Plusieurs se jetaient dans les puits,
d'autres se mettaient sous le ventre d'une vache
pour être à l'ombre.

À CETTE ÉPOQUE UN DIABLOTIN NOMMÉ PANTAGRUEL PASSAIT SES NUITS À JETER DU SEL DANS LA BOUCHE DES PERSONNES ENDORMIES, LESQUELLES SE VOYAIENT AFFLIGÉES LE MATIN D'UNE HORRIBLE SOIF.

C'EST AINSI QUE GARGANTUA PRENANT SON FILS DANS LES BRAS LUI DONNA TOUT AUSSITÔT SON NOM...

COMME SON PÈRE, SON GRAND-PÈRE ET SES ANCÊTRES, PANTAGRUEL NAQUIT GÉANT. À CHACUN DE SES REPAS, IL BUVAIT LE LAIT DE QUATRE MILLE SIX CENTS VACHES ET POUR CUIRE SA BOUILLIE, LES FABRICANTS DE POÊLES D'ANJOU, DE NORMANDIE ET DE LORRAINE FIRENT ENSEMBLE UN POÊLON.

TOUS ONT LA GORGE SÈCHE, ALORS ON L'APPELLERA PANTAGRUEL COMME LE LUTIN DE LA SOIF !

PANTAGRUEL ÉTAIT UN BAMBIN PLUTÔT AGITÉ ET COMME IL N'ENTENDAIT PAS RESTER DANS SON BERCEAU, ON DUT L'ATTACHER AVEC DE GROS CÂBLES COMME CEUX DES NAVIRES.

IL ADVINT QU'UN GROS OURS DE SON PÈRE S'ÉCHAPPA...

72

PANTAGRUEL SE DÉBARRASSA DE
SES CÂBLES EN UN INSTANT...

... MIT LA BÊTE EN PIÈCES
COMME UN POULET ET LA DÉVORA...

PAUVRE PETIT !
IL AURAIT PU
AVALER DE TRAVERS...
QU'ON LE LIE AVEC QUATRE
CHAÎNES À SON BERCEAU !

PANTAGRUEL,
NE POUVANT PLUS BOUGER,
DEMEURA ALORS TRANQUILLE
ET PACIFIQUE.

NE PARVENANT PAS À
ROMPRE SES CHAÎNES,
IL SE LEVA EMPORTANT
LE BERCEAU SUR SON DOS...

MAIS ARRIVA UN JOUR
DE GRANDE FÊTE : SON PÈRE
DONNAIT UN BEAU BANQUET.
TOUS ÉTAIENT SI OCCUPÉS
AU FESTIN QUE L'ON OUBLIA
UN PEU LE PAUVRE
PANTAGRUEL...

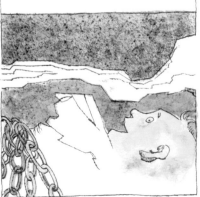

IL ENTRA SI HARDIMENT DANS LA SALLE OÙ L'ON BANQUETAIT, QUE L'ASSISTANCE EN FUT ÉPOUVANTÉE.

QU'ON LE DÉLIE TOUT DE SUITE DE SES CHAÎNES, SINON IL SOUFFRIRA TOUTE SA VIE DE LA GRAVELLE. DONNEZ À MANGER À CE PAUVRE ENFANT !

ASSIEDS-TOI AVEC NOUS ET MANGE À TA FAIM !

BON... BON... BON...

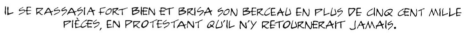

IL SE RASSASIA FORT BIEN ET BRISA SON BERCEAU EN PLUS DE CINQ CENT MILLE PIÈCES, EN PROTESTANT QU'IL N'Y RETOURNERAIT JAMAIS.

PANTAGRUEL CROISSAIT DE JOUR EN JOUR ET PROFITAIT À VUE D'ŒIL, CE DONT SON PÈRE SE RÉJOUISSAIT.

JE REMERCIE LE CRÉATEUR DE M'AVOIR DONNÉ UN FILS TEL QUE TOI. À PRÉSENT MON PLUS VIF DÉSIR EST QUE TU AMÉLIORES TON SAVOIR ET TES QUALITÉS.

TU ÉTUDIERAS LES LOIS, LES LANGUES ET APPRENDRAS L'ART MILITAIRE AFIN DE POUVOIR DÉFENDRE TA MAISON. VA DONC DE PAR LE MONDE, FORTIFIER TES VERTUS MAIS NE NÉGLIGE PAS POUR AUTANT LA CHOPINE EN BONNE COMPAGNIE. ET PUIS, REVIENS VERS MOI, POUR CONSOLER MA VIEILLESSE.

C'EST AINSI QUE PANTAGRUEL PARTIT ET VISITA LES UNIVERSITÉS. IL VINT À MONTPELLIER OÙ IL TROUVA DE FORTS BONS VINS ET SONGEA À Y ÉTUDIER LA MÉDECINE MAIS IL TROUVA QUE LES MÉDECINS SENTAIENT LES CLYSTÈRES COMME DE VIEUX DIABLES.

AVEC SON PÉDAGOGUE EPISTÉMON, IL SE RENDIT À BOURGES PUIS ORLÉANS OÙ IL APPRIT SI BIEN À JOUER À LA PAUME AVEC DES ÉTUDIANTS QU'IL Y PASSA MAÎTRE...

... IL SE DÉCIDA FINALEMENT DE VISITER LA GRANDE UNIVERSITÉ DE PARIS OÙ SON PÈRE AVAIT ÉTUDIÉ AVEC TANT DE PROFIT QUELQUES ANNÉES AVANT...

TOUT LE MONDE SORTIT POUR LE VOIR, CAR VOUS SAVEZ BIEN QUE LE PEUPLE DE PARIS EST SOT PAR NATURE. PANTAGRUEL PARTAGEA SON TEMPS ENTRE LES ÉTUDES ET LES PROMENADES EN VILLE ET HORS LES MURS AVEC ÉPISTÉMON...

VOYEZ CET HOMME EN PITOYABLE ÉTAT...

JE SUIS SÛR QU'UN REVERS DE FORTUNE L'A RÉDUIT À L'INDIGENCE. ÉCOUTONS-LE...

MON AMI, RÉPONDEZ-MOI, VOUS NE VOUS EN REPENTIREZ PAS, CAR J'ÉPROUVE LE BESOIN DE VOUS AIDER. QUI ÊTES-VOUS ? D'OÙ VENEZ-VOUS ? QUI CHERCHEZ-VOUS ET QUEL EST VOTRE NOM ?

QUOVER UEBER PURCHER ICH LES CUCH...

JE NE VOUS COMPRENDS PAS... PARLEZ UNE AUTRE LANGUE...

HERE IE EN SPREEKE...

L'INCONNU CONTINUA DANS UNE VINGTAINE D'IDIOMES DIFFÉRENTS. PANTAGRUEL COMMENÇA À S'IMPATIENTER...

MAIS MON AMI, NE SAVEZ-VOUS PARLER FRANÇAIS ?

SI FAIT, TRÈS BIEN, SEIGNEUR, C'EST MA LANGUE MATERNELLE, JE SUIS NÉ EN TOURAINE... JE M'APPELLE PANURGE... J'ACCEPTE VOTRE OFFRE, CAR JE ME TROUVE DANS L'URGENTE NÉCESSITÉ DE MANGER AYANT VENTRE VIDE ET GORGE SÈCHE.

AINSI PANURGE PUT MANGER À SA FAIM
ET ON LUI DONNA LE MEILLEUR VIN DE LA VILLE...

... ET PENSER QUE
CES DIABLES DE TURCS
NE BOIVENT PAS
UNE GOUTTE DE VIN...

IL BUT
VAILLAMMENT
CAR IL ÉTAIT
FLUET COMME
UN HARENG SAUR;
AUSSI
MARCHAIT-IL
COMME UN CHAT
MAIGRE. ENTRE
DEUX LAMPÉES,
PANTAGRUEL
S'ADRESSA À LUI...

EH BIEN MON CHER AMI,
SI VOUS NOUS RACONTIEZ VOTRE HISTOIRE...

BIEN VOLONTIERS, SEIGNEUR...
J'ÉTAIS DONC PRISONNIER DES TURCS
QUI SONT BIEN MALHEUREUX
DE NE PAS BOIRE ET ...

... CES PAILLARDS M'AVAIENT MIS EN BROCHE TOUT LARDÉ
COMME UN LAPIN (CAR J'ÉTAIS SI MAIGRE QUE MA CHAIR
EÛT ÉTÉ AUTREMENT UNE FORT MAUVAISE VIANDE) ET ME
FAISAIENT AINSI
GRILLER TOUT VIF.

JE ME RECOMMANDAIS DÉJÀ À DIEU LORSQUE LE RÔTISSEUR
S'ENDORMIT. JE PRIS ALORS AVEC LES DENTS UN TISON
ET LE JETAI SUR MON BOURREAU...

Je lançai de mon mieux un autre tison sous un lit de camp.
Aussitôt le feu prit à la paille, de la paille au lit et du lit au plancher qui était en bois
de sapin. Mais le mieux fut que le tison que j'avais jeté dans le giron de mon paillard
de rôtisseur lui brûlait tout le poil et se prenait aux couillons; mais il était si puant qu'il
ne le sentit pas avant le jour. Se levant alors tout étourdi,
il cria à la fenêtre tant qu'il put : " Au feu ! au feu ! "
Puis il vint droit à moi pour me jeter d'un bloc dans le feu.
Mais le maître de maison, qui se promenait dans la rue avec quelques pachas et muftis
courut pour lui porter secours et pour emporter ses hardes.
À peine arrivé, il tira la broche où j'étais embroché et tua tout raide mon rôtisseur
qui mourut ainsi faute d'avoir manqué de vigilance.
La broche pénétra un peu au dessous du nombril, vers le flanc droit,
lui perça le troisième lobe du foie, pénétra dans le diaphragme
et, traversant la membrane du cœur sortit enfin par les épaules
entre les vertèbres et l'omoplate gauche.
La vérité est qu'en retirant la broche de mon corps,
je tombai à terre près des chenets et je me fis mal dans ma chute,
mais ce ne fut pas bien grave, les lardons ayant amorti le coup.
Puis, mon pacha, voyant que la situation était désespérée, que sa maison était brûlée
sans rémission et tout son bien perdu, se donna à tous les diables
appelant par neuf fois, Grilgoth, Astaroth, Raspalus et Gribouillis.
Voyant cela, j'eus peur pour plus de cinq sous ; je craignais
que les diables venant à cette heure pour emporter ce fou ne m'emportassent aussi..
" Je suis déjà demi rôti, me disais-je, mes lardons seront cause de ma perte,
car ces diables-là sont friands de lardons ! "
Mon vilain pacha voulut se percer le cœur de ma broche et de fait il la mit
contre sa poitrine, mais elle ne put s'enfoncer : elle n'était pas assez pointue,
il poussait de toutes ses forces, mais il n'arrivait à rien. Je vins alors à lui et lui dis : "
Messire Bougrino, tu perds ton temps car tu ne te tueras jamais ainsi,
tu te blesseras de quelque coup dont tu souffriras toute ta vie entre les mains
des barbiers. Si tu veux, je te tuerai ici tout net,
de façon à ce que tu ne sentes rien, et crois - moi,
car j'en ai tué bien d'autres qui s'en sont bien trouvés.

Puis, lui ayant rendu ce petit service, Panurge s'enfuit au grand galop.

TOUT CELA AYANT ENTRAÎNÉ
UN BEAU DÉSORDRE...

J'EN PROFITAI POUR M'ENFUIR AU GRAND GALOP.
NOTEZ CEPENDANT QUE CE RÔTISSAGE ME GUÉRIT
D'UNE SCIATIQUE DONT JE SOUFFRAIS DEPUIS SEPT ANS !!
SORTI DE LA VILLE, J'ARRIVAI SUR UN PETIT TERTRE.

JE ME RETOURNAI COMME
LA FEMME DE LOTH, ET JE VIS
TOUTE LA VILLE BRÛLANT
COMME SODOME ET GOMORRHE
CE DONT, JE FUS SI AISE, QUE
JE CRUS ME CONCHIER DE JOIE !!

DIEU M'EN PUNIT BIEN CAR
TREIZE CENT ONZE CHIENS
SENTANT MA CHAIR À DEMI
RÔTIE ACCOURAIENT SUR MOI...

JE ME RAPPELAI MES LARDONS ET
LES JETAI AU MILIEU D'EUX. ET
LES CHIENS ALORS DE SE BATTRE
ET DE SE MORDRE À BELLES DENTS
À QUI AURAIT LES LARDONS !!

PEU DE TEMPS APRÈS, ON APPRIT QUE GARGANTUA AVAIT ÉTÉ EMMENÉ AU PAYS DES FÉES PAR MORGANE,
ET QUE LES DIPSODES AVAIENT ENVAHI ET SACCAGÉ UNE GRANDE PARTIE D'UTOPIE.
PANTAGRUEL QUITTA PARIS SANS DIRE ADIEU À PERSONNE CAR L'AFFAIRE DEMANDAIT QUE L'ON SE DÉPÊCHÂT...

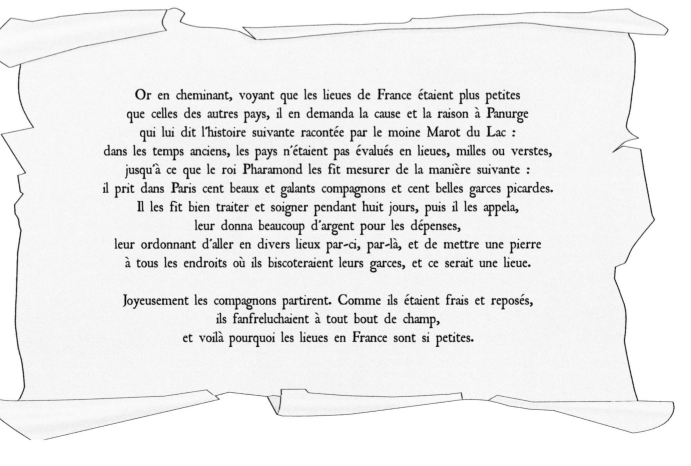

Or en cheminant, voyant que les lieues de France étaient plus petites
que celles des autres pays, il en demanda la cause et la raison à Panurge
qui lui dit l'histoire suivante racontée par le moine Marot du Lac :
dans les temps anciens, les pays n'étaient pas évalués en lieues, milles ou verstes,
jusqu'à ce que le roi Pharamond les fit mesurer de la manière suivante :
il prit dans Paris cent beaux et galants compagnons et cent belles garces picardes.
Il les fit bien traiter et soigner pendant huit jours, puis il les appela,
leur donna beaucoup d'argent pour les dépenses,
leur ordonnant d'aller en divers lieux par-ci, par-là, et de mettre une pierre
à tous les endroits où ils biscoteraient leurs garces, et ce serait une lieue.

Joyeusement les compagnons partirent. Comme ils étaient frais et reposés,
ils fanfreluchaient à tout bout de champ,
et voilà pourquoi les lieues en France sont si petites.

Mais quand ils eurent parcouru un long chemin,
ils furent fatigués comme de pauvres diables :
il n'y avait plus d'huile dans les burettes ;
ils ne s'accouplaient pas aussi souvent.
Ils se contentaient (je parle des hommes) d'une méchante et pauvre fois
par jour. Et voilà pourquoi les lieues de Bretagne, des Landes,
d'Allemagne et d'autres pays plus éloignés sont si grandes.
Les autres en ont donné d'autres raisons:
mais celle-là me semble la meilleure.

ILS EMBARQUÈRENT À ROUEN, LE VENT DU NORD-NORD-OUEST SE LEVA,
ILS HISSÈRENT TOUTES LEURS VOILES ET PRIRENT LA HAUTE MER...

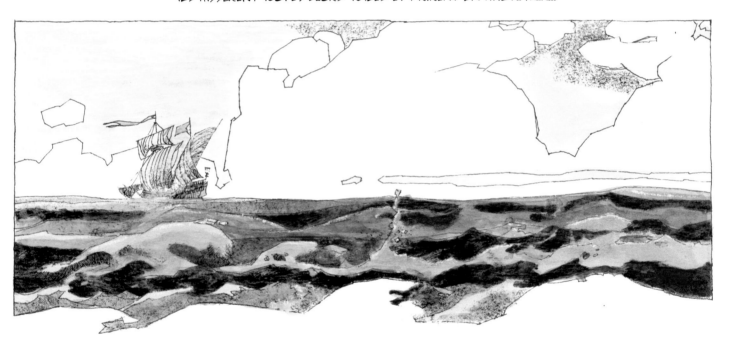

ENFIN, ILS ARRIVÈRENT
AU PORT D'UTOPIE.

AVISONS POUR SAVOIR
LE NOMBRE DES ENNEMIS QUI
FONT LE SIÈGE DE LA VILLE.

TOUT À COUP ARRIVÈRENT À BRIDE ABATTUE SIX CENT SOIXANTE CHEVALIERS...

MES ENFANTS,
RETIREZ-VOUS DANS LE NAVIRE,
JE VOUS LES TUERAI COMME DES
BÊTES.ÉLOIGNEZ-VOUS ET
AMUSEZ-VOUS.

NON, SEIGNEUR,
RETIREZ-VOUS AU CONTRAIRE,
JE LES METTRAI EN PIÈCES À MOI TOUT
SEUL; MAIS, IL N'Y A PAS DE TEMPS
À PERDRE. QUE L'ON ME DONNE DES CORDES !!

82

PENDANT QUE LES CHEVAUX EMPÊTRÉS DANS LES CORDES JETAIENT À TERRE LEURS CAVALIERS...

... PANURGE SE PRÉCIPITA À BORD ET DONNA L'ORDRE AUX CANONNIERS...

METTEZ LE FEU AUX POUDRES ‼

HOMMES ET CHEVAUX, NUL N'EN RÉCHAPPA, SAUF UN, QUI CHERCHAIT À FUIR. IL FUT RATTRAPÉ ET CONDUIT AU NAVIRE.

SEIGNEUR, SACHEZ EN VÉRITÉ, QU'IL Y A DANS L'ARMÉE DES DIPSODES TROIS CENTS GÉANTS... LEUR CHEF SE NOMME LOUP-GAROU ET ILS ONT POUR MISSION DE PROTÉGER LE ROI ANARCHE.

AINSI INFORMÉ, PANTAGRUEL S'ARMA POUR PARTIR EN GUERRE: IL EMPORTA AVEC LUI UNE BARQUE PLEINE DE SEL ET PRIT COMME BOURDON LE GRAND MÂT DU NAVIRE...

MAINTENANT QUE NOUS SOMMES PRÊTS, ALLONS NOUS DIVERTIR, MES ENFANTS ‼

LA NUIT ÉTAIT PROFONDE
LORSQU'ILS ARRIVÈRENT
AU CAMP ENNEMI
ET COMME TOUS DORMAIENT
LA GUEULE OUVERTE...

... PANTAGRUEL COMMENÇA À SEMER LE SEL QU'IL AVAIT DANS SA BARQUE, IL LEUR EN EMPLIT LE GOSIER, ET EN TELLE QUANTITÉ QUE LES PAUVRES DIABLES, CROYANT QUE C'ÉTAIT LE LUTIN DE LA SOIF, CRIAIENT COMME DES RENARDS.

AH ! MAUDIT DIABLOTIN POURQUOI NOUS TOURMENTES-TU DE LA SORTE ?

LES GÉANTS, LORSQU'ILS VIRENT QUE LEUR CAMP ÉTAIT INONDÉ EMPORTÈRENT LEUR ROI ANARCHE, DU MIEUX QU'ILS PURENT, COMME LE FIT ENÉE, POUR SON PÈRE ANCHISE, LORS DE L'INCENDIE DE TROIE.

Soudain il prit l'envie
à Pantagruel de pisser.
Il pissa dans leur camp
et si copieusement
qu'il les noya tous ;
il y eut un déluge extraordinaire
à dix lieues à la ronde.
L'histoire dit que si la grande
jument de son père y eût été
et qu'elle eût pissé pareillement,
il y eût eu un déluge plus
formidable encore,
car elle ne pissait pas une seule fois
sans qu'elle ne fît une rivière plus
grande que le Rhône.

EH ! EH ! LES GÉANTS ONT PEUR, ILS S'ENFUIENT !

MAIS LES GÉANTS N'AVAIENT PAS PEUR. ET LEUR CHEF, LOUP-GAROU, S'ARRÊTA ET S'ADRESSA AINSI À PANTAGRUEL...

APPROCHE, CANAILLE ! ET VIENS TE BATTRE SEUL À SEUL !

LOUP-GAROU S'AVANÇA ARMÉ D'UNE MASSE PESANT NEUF MILLE SEPT CENTS QUINTAUX, TOUTE D'ACIER, AU BOUT DE LAQUELLE SE TROUVAIENT TREIZE POINTES DE DIAMANT DONT LA PLUS PETITE ÉTAIT AUSSI GROSSE QUE LA PLUS GRANDE CLOCHE DE NOTRE-DAME DE PARIS...

VOILÀ QUI N'EST PAS LOYAL ! JE TE HACHERAI COMME CHAIR À PÂTÉ !

86

IRRITÉ DE CETTE ATTAQUE, LOUP-GAROU LUI LANÇA UN COUP DE SA MASSE, VOULANT LUI ROMPRE LA CERVELLE, MAIS PANTAGRUEL FUT HABILE ET EUT TOUJOURS BON PIED ET BON ŒIL; IL FIT UN PAS EN ARRIÈRE ET LUI DONNA, DU GROS BOUT DE SON MÂT, EN ESTOC, AU-DESSUS DE LA POITRINE, ET RETIRANT LE COUP À GAUCHE EN FRAPPANT DE TAILLE, IL L'ATTEIGNIT ENTRE LE COU ET LES ÉPAULES; PUIS AVANÇANT LE PIED DROIT, LUI PIQUA LES COUILLONS...

LOUP-GAROU LEVANT SA MASSE AVANÇA D'UN PAS SUR LUI ET, DE TOUTE SA FORCE, IL VOULUT L'ASSENER SUR PANTAGRUEL. IL PRIT SI VIGOUREUSEMENT SON ÉLAN QUE SI DIEU N'EÛT SECOURU LE BON PANTAGRUEL, IL L'EÛT FENDU DEPUIS LE SOMMET DE LA TÊTE, JUSQU'AU FOND DE LA RATE. LE COUP DÉVIA GRÂCE À L'AGILITÉ DE PANTAGRUEL QUI L'ESQUIVA ET DÉSÉQUILIBRA SON ADVERSAIRE.

OH ! OH ! PAR TOUS LES DIABLES, AIDEZ-MOI !

Il frappa parmi ces géants armés de pierre de taille
et les abattit comme un maçon abat un pan de mur ;
nul ne s'arrêtait devant lui qu'il ne le jetât à terre.
Il y eut un fracas horrible quand il brisa ces armures de pierre.
À voir Pantagruel, on l'eût plutôt pris pour un faucheur
qui, de sa faux (c'était Loup-Garou) abat l'herbe d'un pré (c'étaient les géants).
À cette escrime Loup-Garou perdit la tête...

UN APRÈS L'AUTRE, LES GÉANTS TOMBÈRENT.
PANTAGRUEL EN ABATTIT UN, ARMÉ DE PIERRE
DE GRÈS DONT UN ÉCLAT COUPA
LA GORGE D'ÉPISTÉMON...

FINALEMENT, VOYANT QUE TOUS ÉTAIENT MORTS,
IL JETA, DE TOUTES SES FORCES, LE CORPS DE LOUP-GAROU.
CELUI-CI TOMBA SUR LE VENTRE, COMME UNE GRENOUILLE
ET TUA EN TOMBANT UN CHAT BRÛLÉ,
UNE CHATTE MOUILLÉE, UN CANARD ET UN OISON.

CETTE DÉFAITE GIGANTESQUE PARACHEVÉE,
PANTAGRUEL SE RETIRA À L'ENDROIT
OÙ ÉTAIENT LES BOUTEILLES...

... MAIS OÙ EST
MON PAGE ?
COMMENT SE FAIT-
IL QU'IL NE SOIT
PAS ENCORE LÀ ?

ILS LE CHERCHÈRENT ET LE TROUVÈRENT TOUT
RAIDE MORT, TENANT ENTRE SES BRAS,
SA TÊTE TOUTE SANGLANTE...

AH ! MORT CRUELLE,
TU NOUS A PRIS LE
PLUS PARFAIT DES
HOMMES !

LES ENFANTS,
NE VERSEZ PAS UNE LARME,
IL EST ENCORE TOUT CHAUD, JE VAIS VOUS
LE GUÉRIR ET VOUS LE RENDRAI EN AUSSI
BONNE SANTÉ QU'IL FUT JAMAIS !

PANURGE NETTOYA LA TÊTE ET LE COU,
DE BEAU VIN BLANC, LES SINAPISA DE POUDRE
DE DIAMERDIS, LES OIGNIT DE JE NE SAIS
QUEL ONGUENT ET...

... AJUSTA VEINE CONTRE VEINE, NERFS CONTRE NERFS,
VERTÈBRE CONTRE VERTÈBRE. PUIS FIT AVEC UNE AIGUILLE
QUINZE OU SEIZE POINTS ET MIT UN PEU D'ONGUENT
QU'IL APPELAIT RESSUSCITATIF...

SOUDAIN EPISTÉMON OUVRIT
LES YEUX, BAILLA, ÉTERNUA
ET FIT UN GROS PET.

HOLLA ! J'AI LA GORGE
BIEN SÈCHE ! VITE,
UN PETIT VIN BLANC
ET UNE RÔTIE SUCRÉE !

FIGUREZ-VOUS QUE J'AI VU
LES DIABLES ET CONVERSÉ
FAMILIÈREMENT AVEC
LUCIFER. J'AI FAIT GRANDE
CHÈRE EN ENFER ET
AUX CHAMPS-ÉLYSÉES.
JE PEUX VOUS ASSURER
QUE LES DIABLES SONT
DE BONS COMPAGNONS !

ALLONS, LES ENFANTS, FAISONS UN PEU DE FESTIN,
ET BUVONS JE VOUS EN PRIE, CAR IL FAIT BON
BOIRE TOUT CE MOIS !

90

PANURGE REÇUT LA CHÂTELLENIE DE SALMIGONDIN QUI RAPPORTAIT ANNUELLEMENT SIX MILLIARDS SEPT CENT QUATRE-VINGT-NEUF MILLIONS CENT SIX MILLE SEPT CENT QUATRE-VINGT-NEUF ROYAUX, NON COMPRIS LE REVENU ALÉATOIRE DES HANNETONS ET DES COQUILLES D'ESCARGOTS. LE NOUVEAU CHÂTELAIN GOUVERNA SI BIEN QU'IL DILAPIDA EN PEU DE JOURS LE REVENU CERTAIN ET INCERTAIN DE TROIS ANS DE SA CHÂTELLENIE.

HUMBLEMENT IL SE PRÉSENTA À PANTAGRUEL.

JE VEUX DORÉNAVANT ME MARIER POUR REGARDER DE PRÈS À MES AFFAIRES. JE VOUS SUPPLIE DE ME DIRE QUEL EST VOTRE AVIS.

PUISQUE VOUS AVEZ JETÉ LE DÉ, IL N'EN FAUT PLUS PARLER, MARIEZ-VOUS DONC.

MAIS SI MA FEMME ME FAISAIT COCU ? J'AIME BIEN LES COCUS MAIS JE NE VOUDRAIS POINT L'ÊTRE...

NE VOUS MARIEZ DONC POINT.

BEAU CONSEILLER QUE VOUS ÊTES !! QUE DOIS-JE FAIRE ?

MON CHER PANURGE, IL VOUS FAUT PRENDRE SEUL VOTRE DÉCISION ET VOUS RECOMMANDER À DIEU.

PANURGE CONSULTA LES ŒUVRES DES ANCIENS EN OUVRANT LES LIVRES AU HASARD, COMMENÇANT PAR VIRGILE IL PASSA ENSUITE À SOCRATE, HOMÈRE, PLATON, CICÉRON ET DIOGÈNE...

PUIS IL DEMANDA LEUR AVIS AUX CABALISTES ET AUX SAVANTS DU ROYAUME...

Quelque temps après, Pantagruel
envoya chercher Panurge et lui dit :
" L'amour que je vous porte m'a suggéré
de vous conseiller de rencontrer la sibylle
de Panzoust, écoutez ce qu'elle vous dira. "
Avec Epistémon ils furent trois jours en chemin,
ils entrèrent dans la chaumine toute enfumée
et se présentèrent à la sibylle.
La vieille était mal en point, mal vêtue,
mal nourrie, édentée, chassieuse, courbée.
Elle faisait un potage de chou vert
avec une couenne de lard jaune.
Panurge salua profondément la vieille,
lui présenta six langues de bœuf fumées,
un grand pot à beurre plein de couscous,
un flacon, une couille de bélier.
Avec une profonde révérence,
il lui exposa le motif de sa visite.
La vieille resta quelque temps silencieuse et pensive
et rechignant des dents. Elle s'assit sur le cul
d'un boisseau, prit trois vieux fuseaux,
les tourna et les vira entre ses doigts...
Puis elle déchaussa un de ses sabots,
mit son tablier sur sa tête, s'attacha autour
du cou un vieux tissu bariolé. Ainsi affublée
elle but un grand trait du flacon apporté
par Panurge, fit trois tours de balai
dans la cheminée et cria abominablement,
chantant entre ses dents
quelques mots barbares...
Enfin la vieille s'en fut dans un petit jardin,
il y avait là un sycomore qu'elle secoua
par trois fois, et sur huit feuilles qui en
tombèrent, elle écrivit quelques vers fort courts,
puis, elle les jeta au vent et dit :
" Allez-les chercher, trouvez-les si vous le pouvez.
Le sort de votre mariage y est écrit. "
Après avoir dit ces paroles, elle se retira
dans sa tanière et, sur la porte,
elle retroussa sa robe et leur montra son cul.
Panurge s'exclama : " Sabre de bois,
voilà le trou de la sibylle ! "

PLUS PERPLEXE QUE JAMAIS PANURGE RETROUVA PANTAGRUEL...

POUR CE QUI EST DE MON MARIAGE IL NE ME RESTE QU'À PRENDRE L'ORACLE DE LA DIVE BOUTEILLE. N'ACCOMPAGNEREZ-VOUS ?

VOLONTIERS, MAIS AVANT D'ENTREPRENDRE CE LONG VOYAGE PLEIN DE DANGERS, IL ME FAUT DEMANDER L'AVIS DE MON PÈRE GARGANTUA.

IL ME PLAÎT QUE VOUS FASSIEZ CE VOYAGE, MAIS JE VOUDRAIS QUE, PAREILLEMENT, IL VOUS VÎNT LE DÉSIR DE VOUS MARIER. ARMEZ UN NAVIRE ET PARTEZ AVEC ÉPISTÉMON ET FRÈRE JEAN.

QUELQUES JOURS PLUS TARD, AU MOIS DE JUIN, APRÈS AVOIR PRIS CONGÉ DU BON GARGANTUA QUI PRIAIT POUR LE VOYAGE DE SON FILS, PANTAGRUEL FIT VOILE AU SOLEIL LEVANT

SANS NAUFRAGE, SANS DANGERS, SANS PERTE DE LEURS GENS, ILS FIRENT EN GRANDE SÉRÉNITÉ LE VOYAGE VERS L'INDE SUPÉRIEURE EN MOINS DE QUATRE MOIS...

93

ILS DÉCOUVRIRENT UNE ÎLE BELLE ET PLAISANTE À L'ŒIL PAR LE GRAND NOMBRE DE PHARES ET DE HAUTES TOURS DE MARBRE DONT ELLE ÉTAIT ORNÉE...

COMMENT S'APPELLE CETTE ÎLE ?

SUR LE MARCHÉ PANTAGRUEL ACHETA TROIS LICORNES, UN ALEZAN ET DEUX FEMELLES GRIS POMMELÉ, EN MÊME TEMPS QU'UN TARANDE AUX PIEDS FOURCHUS.

MEDAMOTHI, AUJOURD'HUI C'EST LE TROISIÈME JOUR DES GRANDES ET SOLENNELLES FOIRES, VOUS Y TROUVEREZ TOUT CE QUE L'ON NE PEUT TROUVER AILLEURS.

J'ENVERRAI CELA AU ROI MON PÈRE.

SE RETOURNANT VERS LE PORT IL VIT ARRIVER UN DES BRIGANTINS DE SON PÈRE. IL Y EUT JOYEUSES ACCLAMATIONS ET EMBRASSEMENTS.

VOTRE PÈRE VEUT CONNAÎTRE L'ÉTAT DE VOTRE SANTÉ ET AVOIR DES NOUVELLES DE VOTRE VOYAGE QUE JE LUI ADRESSERAI AVEC CE MESSAGER CÉLESTE.

PANTAGRUEL ATTACHA À LA PATTE DU PIGEON UNE BANDELETTE DE TAFFETAS SIGNALANT
QUE TOUT ALLAIT BIEN. LE PIGEON FENDIT L'AIR AVEC UNE RAPIDITÉ TELLE QU'IL FRANCHIT EN MOINS DE DEUX HEURES
LA DISTANCE QUE LE BATEAU AVAIT PARCOURUE EN TROIS JOURS ET TROIS NUITS À PLEINES VOILES.
GARGANTUA EUT AINSI LA JOIE ET L'ASSURANCE DE LA BONNE SANTÉ DE SON FILS.

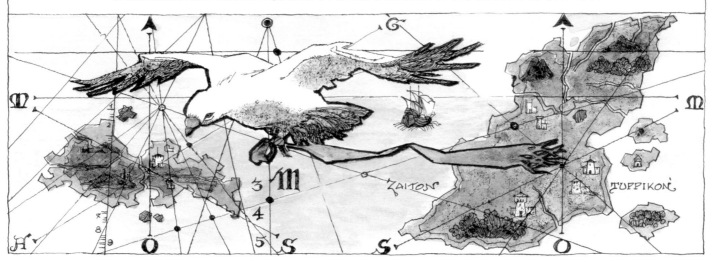

LES DEUX NAVIRES REPRIRENT LA MER ET SE SÉPARÈRENT : L'UN RETOURNANT VERS UTOPIE
AVEC LES PRÉSENTS DE PANTAGRUEL À SON PÈRE ; ET L'AUTRE POURSUIVANT SA ROUTE
VERS DE NOUVEAUX HORIZONS ET DE NOUVELLES AVENTURES.

AU COUCHER DU SOLEIL ILS FIRENT
ESCALE DANS L'ÎLE DE CHELI. LE ROI
SAINT PANIGON VOULUT QUE LA REINE ET
SA SUITE BAISASSENT PANTAGRUEL ET
SES GENS, CAR TELLE ÉTAIT LA
COURTOISIE ET LA COUTUME DE CE PAYS.

LE JOUR SUIVANT, ILS PASSÈRENT
DEVANT L'ÎLE DE PROCURATION, PAYS
TOUT ÉGRATIGNÉ ET TOUT
BARBOUILLÉ OÙ LES PROCULTOUS ET
LES CHICANOUS NE VIVAIENT
QUE DE PROCÈS ET NE MANGEAIENT
QUE DU PAPIER. PANTAGRUEL DÉCIDA
DE PASSER AU LARGE.

PUIS ILS PASSÈRENT ENTRE
LES DEUX ÎLES DE TOHU ET
BOHU OÙ ILS NE TROUVÈRENT
RIEN À FRIRE, ELLES ÉTAIENT
EN GRAND DEUIL...

PAUVRES DE NOUS !
NOTRE ROI, LE NOBLE BRIN
GUENARILLES EST TRÉPASSÉ
CE MATIN !

... IL A AVALÉ TOUS LES POÊLONS, POÊLES, CHAUDRONS, LÈCHEFRITES ET MARMITES DU PAYS... SUR L'HEURE DE SA DIGESTION IL EST TOMBÉ GRAVEMENT MALADE...

... CAR SON ESTOMAC APTE À DIGÉRER NATURELLEMENT DES MOULINS À VENT TOUT ENTIERS N'A PU PARFAITEMENT CONSOMMER LES POÊLES ET LES LÈCHEFRITES. LES CHAUDRONS ET LES MARMITES ONT ÉTÉ ASSEZ BIEN DIGÉRÉES... MAIS LE MAL A ÉTÉ PLUS FORT QUE LES REMÈDES ADMINISTRÉS SELON L'ART.

NOTRE ROI, LE GRAND GÉANT BRINGUENARILLES, SE NOURRISSAIT ORDINAIREMENT DE MOULINS À VENT ET CE MATIN, N'EN TROUVANT PAS...

UN GRAIN SE LEVA QUAND ILS REPRIRENT LA MER. LE PILOTE, PRÉVOYANT UN OURAGAN COMMANDA À TOUS D'ÊTRE EN ALERTE...

SOUDAIN, LA MER COMMENÇA À S'ENFLER ET À GRONDER DU FOND DE L'ABÎME, DE FORTES VAGUES BATTIRENT LES FLANCS DU VAISSEAU. LE MISTRAL SOUFFLA ACCOMPAGNÉ D'UNE TOURMENTE EFFRÉNÉE ET DE TERRIBLES ET MORTELLES BOURRASQUES. IL PLUT, IL GRÊLA. L'AIR DEVINT OPAQUE, TÉNÉBREUX ET OBSCUR. IL N'APPARAISSAIT PAS D'AUTRE LUMIÈRE QUE CELLE DE LA FOUDRE ET DES ÉCLAIRS.

CARGUEZ LES VOILES ! CALEZ LES BOULINGUES ! DESCENDEZ LE GRAND ARTIMON !

IL NOUS SEMBLAIT ÊTRE DANS L'ANTIQUE CHAOS DANS LEQUEL L'AIR, LE FEU, LA MER LA TERRE, TOUS LES ÉLÉMENTS ÉTAIENT EN FOLIE.

A DEMI MORT DE PEUR, PANURGE RESTAIT ACCROUPI SUR LE TILLAC.

OH ! HEUREUX CEUX QUI PLANTENT DES CHOUX CAR ILS ONT TOUJOURS UN PIED SUR TERRE ET L'AUTRE PAS LOIN ! IL N'EST RIEN DE MIEUX QUE LE PLANCHER DES VACHES ! CETTE VAGUE NOUS EMPORTERA, TOUT EST PERDU !

PAUVRE DE MOI ! CONFESSION ! MEA CULPA DEUS ! **CONFITEOR !**

PANTAGRUEL, APRÈS AVOIR IMPLORÉ DIEU ET FAIT UNE ORAISON, TENAIT FERMEMENT LE GRAND MÂT. FRÈRE JEAN SECOURAIT LES MATELOTS...

PANURGE, PENDU DU DIABLE ! VIENS ICI NOUS AIDER !

BOU, BOU, OU, OU, JE ME CONCHIE DE PEUR, JE ME NOIE ! JE MEURS ! JE PARDONNE À TOUT LE MONDE. CONSUMMATUM EST ! C'EN EST FAIT DE MOI !

PANURGE LE PLEURARD, TU FERAIS MIEUX DE NOUS AIDER, PLUTÔT QUE DE PLEURER COMME UNE VACHE !

NE JURONS POINT, MON PÈRE, MON AMI, JE FAIS VŒU SI NOUS SOMMES HORS DE DANGER, DE CONSTRUIRE UNE CHAPELLE... ET MÊME DEUX !

À CET INSTANT, UNE VAGUE PLUS ÉNORME ENCORE S'ABATTIT SUR LE NAVIRE...

LA MAIN AU GOUVERNAIL ! GARE À LA PANNE ! CAPE EN HOULE !

EN SOMMES-NOUS LÀ ? LE BON DIEU NOUS SOIT EN AIDE !

HÉLAS ! JE ME NOIE, JE SUIS MORT ! JE VEUX FAIRE MON TESTAMENT !

MILLE MILLIONS DE DIABLES SAUTENT AU CORPS DE CE COCU ! VIENS PLUTÔT NOUS AIDER !

TERRE ! TERRE ! LE CIEL COMMENCE À S'ÉCLAIRCIR DU CÔTÉ DU NORD. NOUS NE SOMMES PAS LOIN DU PORT. COURAGE !

L'ORAGE S'APAISE. PARE AUX ÉCOUTES ! AMURE À BÂBORD !

HISSE ! HISSE !

LA TEMPÊTE S'ÉTAIT CALMÉE D'UN COUP ET AVEC ELLE, LA PEUR DE PANURGE...

AH, AH ! QUELLE PETITE BRISE ! AVEZ-VOUS BESOIN DE MOI ? COMMENT, FRÈRE JEAN, VOUS NE FAITES RIEN ? IL FAUT AIDER CES BRAVES MARINS !

ÉCOUTEZ-LE CET ANIMAL !

ALLONS, MES ENFANTS, RÉJOUISSEZ-VOUS ! MAIS QUEL EST CET INUTILE QUI CRIE ET SE DÉSESPÈRE ?

C'EST CE PAUVRE DIABLE DE PANURGE... IL TREMBLE DE PEUR QUAND IL EST SAOUL.

S'IL A EU PEUR DURANT CETTE HORRIBLE TEMPÊTE, JE NE L'EN ESTIME PAS MOINS. ÉNÉE REGRETTA DE N'ÊTRE PAS MORT DE LA MAIN DE DIOMÈDE QUAND IL FUT SURPRIS PAR LA TEMPÊTE PRÈS DE LA SICILE...

TRÈS JUSTE ! MAINTENANT JE COMPRENDS MIEUX LA RÉPONSE DU PHILOSOPHE ANARCHASIS QUAND, INTERROGÉ SUR LE NAVIRE QUI LUI PARAISSAIT LE PLUS SÛR, IL DIT: "CELUI QUI EST DANS LE PORT."

MON CHER CAPITAINE, JETEZ LA PASSERELLE, DESCENDONS, JE SUIS AFFAMÉ COMME UN LOUP !

CAPITAINE, QUELLE ÎLE DOUBLONS- NOUS ACTUELLEMENT ?

LE REPAS FINI, ON RÉPARA LE NAVIRE, CE QUI FUT FACILE, CAR TOUS LES HABITANTS DE L'ÎLE ÉTAIENT AUSSI BONS ARTISANS QUE CEUX DE L'ARSENAL DE VENISE. PUIS ILS FIRENT VOILES, POUSSÉS PAR UN DÉLICIEUX ZÉPHYR...

C'EST L'ÎLE DE TAPINOIS SUR LAQUELLE RÈGNE CARÊME-PRENANT, GRAND AVALEUR DE POIS, FOUETTEUR DE PETITS ENFANTS ET BON CATHOLIQUE. NOUS EN ENTENDRONS PROBABLEMENT PARLER DEMAIN, SUR L'ÎLE DES ANDOUILLES, SES ENNEMIES MORTELLES.

VERS LE MILIEU DU JOUR, EN APPROCHANT DE L'ÎLE FAROUCHE, PAYS DES ANDOUILLES...

BRANLE BAS DE COMBAT ! UNE BALEINE !

LES TROMPETTES SONNÈRENT, L'ÉQUIPAGE S'APPRÊTAIT À COMBATTRE, FRÈRE JEAN MONTA SUR LE GAILLARD D'AVANT...

PANURGE COMMENÇA À CRIER ET À SE LAMENTER PLUS QUE JAMAIS.

BABILLEBABOU ! VOICI PIRE QU'AVANT. FUYONS ! C'EST LE LÉVIATHAN, IL NOUS AVALERA TOUS. NOUS SOMMES PERDUS !

N'AIE PAS PEUR, PANURGE ! JE SUIS LÀ.

À D'AUTRES ! LA VOICI, JE VAIS ME CACHER LÀ-BAS. OH ! OH ! DIABLE SATAN ! COMME ELLE EST HORRIBLE ET ABOMINABLE ! SI ENCORE ELLE JETAIT DU BON VIN BLANC AU LIEU DE CETTE EAU AMÈRE, SALÉE ET PUANTE...

LA BALEINE SE DIRIGEAIT DROIT SUR LE VAISSEAU
ET JETAIT DE L'EAU À PLEINS TONNEAUX...

DARDS, JAVELINES, ÉPIEUX ET
PERTUISANES VOLAIENT SUR ELLE.
L'ARTILLERIE TONNAIT ET
FOUDROYAIT EN DIABLE MAIS SANS
BEAUCOUP DE PROFIT...

FEU !?

DÉSORMAIS TOUTE PROCHE
LA BALEINE S'APPRÊTAIT
À ENGLOUTIR LE NAVIRE
EN UNE SEULE BOUCHÉE...

... QUAND PANTAGRUEL EMPOIGNA
SON ARC ET DES FLÈCHES...

IL TOUCHA, AU PREMIER COUP LA BALEINE EN PLEINE TÊTE. AU SECOND COUP, IL LUI CREVA L'ŒIL DROIT; AU TROISIÈME L'ŒIL GAUCHE. TOUS REGARDÈRENT EN GRANDE JUBILATION LA BALEINE PORTER AU FRONT CES TROIS CORNES. PUIS PANTAGRUEL LUI DARDA PLUS D'UNE CENTAINE DE FLÈCHES. LA BALEINE RESSEMBLAIT AINSI AU SERPENT SCOLOPENDRE.

PUIS, ELLE SE RENVERSA LE VENTRE EN L'AIR, COMME FONT TOUS LES POISSONS MORTS.

ENTENDANT LES CRIS DE JOIE DES MARINS, PANURGE COMPRIT QUE LE DANGER AVAIT DISPARU ET IL REVINT SUR LE PONT...

BIEN ! BIEN ! BIEN ! VOILÀ UN FORT BEAU SPECTACLE ! TOUT À FAIT PLAISANT !

LA BALEINE FUT REMORQUÉE JUSQU'À L'ÎLE FAROUCHE...

OÙ LES CHARPENTIERS LA DÉCOUPÈRENT POUR EN RECUEILLIR LA GRAISSE UTILE À LA GUÉRISON D'UNE MALADIE QU'ILS NOMMAIENT "MANQUE D'ARGENT".

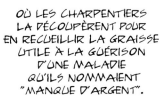

ENTRE-TEMPS, PANTAGRUEL DÎNAIT JOYEUSEMENT AVEC SES GENS.

QUAND SOUDAIN...

QUELLES SONT CES BÊTES LÀ ?

CE SONT DES ANDOUILLES. ENTRE ELLES ET CARÊME-PRENANT, LEUR ENNEMI, IL EXISTE DEPUIS LONGTEMPS UNE GUERRE MORTELLE. JE CROIS QUE LA CANONNADE TIRÉE CONTRE LA BALEINE LES A EFFRAYÉES ET QU'ELLES NOUS CONSIDÈRENT COMME DES ENNEMIS...

JE M'EMPLOIERAI DE BON CŒUR ET N'ÉPARGNERAI RIEN POUR APAISER LE CONFLIT ENTRE LES DEUX PARTIES.

LA PEINE SERAIT PERDUE. VOUS RÉCONCILIERIEZ PLUTÔT ENTRE EUX LES CHATS ET LES RATS, LES CHIENS ET LES LIÈVRES.

PENDANT QU'IL DISAIT CELA, FRÈRE JEAN ARRIVANT DANS UNE CHALOUPE APERÇUT...

...VINGT-CINQ OU TRENTE ANDOUILLES DE PETITE TAILLE.

VERTU DIEU ! CE GROUPE D'ANDOUILLES SE RETIRE DANS LEUR CITADELLE !

OHÉ ! JE CRAINS QUE CES VÉNÉRABLES ANDOUILLES NE VOUS PRENNENT POUR CARÊME-PRENANT !

LAISSONS-LÀ LE REPAS ET METTONS-NOUS EN POSITION DE LEUR RÉSISTER.

CE NE SERAIT PAS TROP MAL. LES ANDOUILLES SONT ANDOUILLES ET, PAR CELA MÊME, TOUJOURS DOUBLEMENT TRAÎTRESSES !

PANTAGRUEL SE LEVA ALORS DE TABLE POUR OBSERVER.

IL VIT UN GROS BATAILLON D'ANDOUILLES MARCHANT FURIEUSEMENT EN BATAILLE, AU SON DES CORNEMUSES, DES FIFRES, DES TAMBOURS, DES TROMPETTES ET DES CLAIRONS...

ON ESTIMA LEUR NOMBRE À QUARANTE-DEUX MILLE...

À LEURS VISAGES DÉCIDÉS ON VOIT BIEN QUE CE NE SONT PAS DES NOVICES MAIS DE VIEILLES ANDOUILLES DE GUERRE !

PEUT-ÊTRE EST CE L'USAGE DE RECEVOIR AINSI LES ÉTRANGERS EN LEUR FAISANT FÊTE ?

MMMH ! JE CRAINS QU'ILS NE VEUILLENT FAIRE NOTRE FÊTE ! MÉFIONS-NOUS ET TENONS-NOUS SUR NOS GARDES...

CAPITAINE, FAITES VENIR TOUS LES HOMMES D'ARMES, JE VEUX À MON CÔTÉ LES COLONELS RIFLANDOUILLE ET TAILLEBOUDIN DONT LES NOMS PROMETTENT VICTOIRE EN CAS DE BESOIN.

QUANT À TOI PANURGE, JE NE VOUDRAIS PAS QUE TU NE FASSES QUE TE LAMENTER ET PRIER PENDANT QUE NOUS COMBATTRONS, PRENDS TON BÂTON ET SERS-T'EN !

PENDANT CE TEMPS, FRÈRE JEAN AVAIT RASSEMBLÉ LES CUISINIERS ET LEUR TINT CE DISCOURS :

ENFANTS, JE VEUX VOUS VOIR TRIOMPHANTS, VOUS ALLEZ COMBATTRE COMME ON NE L'A JAMAIS VU. JE SERAI VOTRE CAPITAINE, ET LE CRI DE RALLIEMENT SERA NABUZARDAN !

À VOS ORDRES. NABUZARDAN !

DANS LES CALES DU NAVIRE, IL Y AVAIT LA GRANDE TRUIE, ENGIN MIRIFIQUE, DANS LEQUEL POUVAIT ENTRER AISÉMENT DEUX CENTS HOMMES. SUR ORDRE DE FRÈRE JEAN, ELLE FUT DÉBARQUÉE.

106

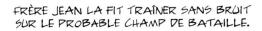

LES ANDOUILLES S'APPROCHÈRENT TANT, QUE PANTAGRUEL VIT
QU'ELLES S'APPRÊTAIENT À CHARGER.
IL ENVOYA GYMNASTE PARLEMENTER...

NOUS SOMMES
TOUS VOS AMIS... AMIS
DE VOTRE ALLIÉ
MARDI GRAS !

UN GROS CERVELAS SAUVAGE ET FARFELU
VOULUT LE SAISIR À LA GORGE

LES ANDOUILLES ATTAQUÈRENT ET TERRASSÈRENT MÉCHAMMENT GYMNASTE...

PANTAGRUEL CASSAIT LES ANDOUILLES SUR SON GENOU...

ALORS COMMENÇA LE TERRIBLE COMBAT, PÊLE-MÊLE... RIFLANDOUILLE RACCOURCISSAIT LES ANDOUILLES, TAILLEBOUDIN TAILLAIT LES BOUDINS.

LORSQUE LES GODIVEAUX QUI ÉTAIENT EN EMBUSCADE SE JETÈRENT TOUS SUR PANTAGRUEL...

... ALORS FRÈRE JEAN, VOYANT LE TUMULTE, OUVRIT LES PORTES DE SA TRUIE ET SORTIT AVEC SES BONS SOLDATS...

À LA CHARGE !! NABUZARDAN !! **NABUZARDAN** !!

LES ANDOUILLES APERCEVANT CE RENFORT INATTENDU PRIRENT LA FUITE AU GRAND GALOP. EN PEU DE TEMPS, LE CHAMP DE BATAILLE FUT COUVERT D'ANDOUILLES MORTES OU BLESSÉES. C'ÉTAIT PITIÉ.

MAIS IL SE PRODUISIT UN FAIT ÉTONNANT. UN GRAND ET GRAS POURCEAU, AVEC DE LONGUES AILES, ARRIVA EN VOLANT. DÈS QU'ELLES L'APERÇURENT LES ANDOUILLES JETÈRENT LEURS ARMES ET S'AGENOUILLÈRENT. LE POURCEAU CRIAIT :

MARDIGRAS, MARDIGRAS !!

LE MONSTRE AYANT VOLÉ PLUSIEURS FOIS ENTRE LES DEUX ARMÉES, JETA PLUS DE VINGT-SEPT BARRIQUES DE MOUTARDE, PUIS DISPARUT EN VOLANT, CRIANT SANS CESSE : "**MARDIGRAS, MARDIGRAS, MARDIGRAS !**"

PANTAGRUEL DEMANDA ALORS À PARLEMENTER AVEC NIPHLESETH, LA REINE DES ANDOUILLES. CE QUI FUT FACILEMENT ACCORDÉ.

MAJESTÉ, POURQUOI TANT DE MASSACRES ?

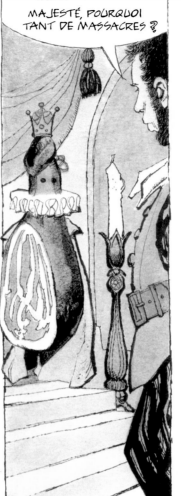

C'EST UNE ERREUR DE MES ESPIONS, ILS M'ONT RAPPORTÉ QUE MON VIEIL ENNEMI, CARÊME-PRENANT AVAIT DÉBARQUÉ DANS L'ÎLE... JE VOUS PRIE DE NOUS PARDONNER, NOUS SERONS DÉSORMAIS VOS AMIS ET VOS VASSAUX.

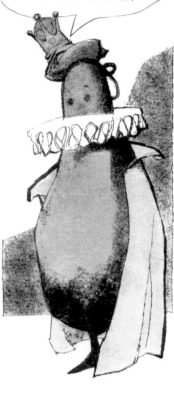

JE VOUS REMERCIE GRACIEUSEMENT, MADAME, MAIS DITES-MOI POURQUOI CE MONSTRE A JETÉ TANT DE MOUTARDE ?

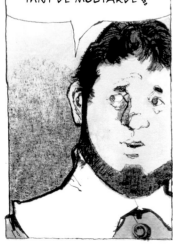

MARDIGRAS, NOTRE DIEU TUTÉLAIRE, NOUS ENVOIE DE LA MOUTARDE CAR ELLE EST NOTRE SAINT GRAAL, NOTRE BAUME CÉLESTE QUI GUÉRIT LES BLESSÉES ET FAIT RESSUSCITER LES MORTES.

EN FÉALE SOUMISSION, PANTAGRUEL REÇUT SOIXANTE-DIX-HUIT MILLE ANDOUILLES ROYALES QU'IL ENVOYA EN PRÉSENT AU BON GARGANTUA.

110

DEUX JOURS APRÈS,
PANTAGRUEL ET SES GENS ARRIVÈRENT SUR L'ÎLE DE RUACH
OÙ VIT UN PEUPLE ÉTRANGE.

ILS NE VIVENT QUE DE VENT.
ILS NE BOIVENT RIEN, NE MANGENT
RIEN QUE DU VENT.

LES RICHES VIVENT DES MOULINS À VENT, ET TOUS PARLENT
DES VENTS COMME NOUS EN MATIÈRE DE VINS...

OH,
QUEL BON
SIROCCO !

IL ME SEMBLE QU'UN
BON ZÉPHYR SERAIT
PLUS LONG EN
BOUCHE...

SANS DOUTE...
MAIS UNE BONNE TRAMONTANE
A PLUS D'ÉPAISSEUR ! ET NE ME
PARLEZ PAS DES BONS VIEUX VENTS
D'AUTREFOIS !

J'AIMERAIS MIEUX UN TONNEAU
DE CE BON VIN DU LANGUEDOC
QUI POUSSE À MIREVAL
ET FRONTIGNAN !

PUIS ILS LEVÈRENT L'ANCRE À
LA RECHERCHE DE LIEUX PLUS
HOSPITALIERS POUR QUI
NE VEUT VIVRE QUE D'AIR PUR.

111

Comment Pantagruel descendit dans l'île des Papimanes.

Nous naviguâmes tout un jour par temps calme et tout plaisir,
quand, s'offrit à notre vue l'île des Papimanes.
Lorsque nous eûmes jeté nos ancres dans le port et avant même d'avoir fixé nos cordages,
nous vîmes soudain venir à nous dans un esquif quatre personnes.
Dès qu'ils eurent joint notre navire, ils s'écrièrent tous ensemble à haute voix :
" L'avez-vous vu, gens de passage ? L'avez-vous vu ?
- Qui ? demandait Pantagruel.
- Comment, demandèrent-ils, vous ne connaissez pas l'Unique ?
- Celui qui est, répondit Pantagruel, par notre doctrine théologique, est Dieu.
Certes nous ne le vîmes jamais.
- Nous ne parlons pas de ce Dieu qui domine dans les cieux, répondirent-ils.
Nous parlons du Dieu qui est sur terre. L'avez-vous jamais vu ?
- Sur mon honneur, dit Carpalim, ils parlent du pape.
- Oui, oui, répondit Panurge, oui-dà, messieurs. "
Ils s'agenouillèrent alors devant nous et voulaient nous baiser les pieds,
ce que nous ne voulûmes leur permettre, leur faisant observer que si d'aventure
le pape venait là, en propre personne, ils ne pourraient lui en faire davantage.
" Si, si, répondirent-ils, et cela est déjà résolu parmi nous.
Nous lui baiserions le cul sans feuille, et les couilles pareillement.
Car il a couilles le Saint-Père, nous le lisons dans nos belles Décrétales*,
sans cela, il ne serait pas pape. D'après la subtile philosophie
décrétaline cette conséquence est nécessaire : il est pape, il a donc couilles**,
et si les couilles venaient à manquer au monde, le monde n'aurait plus de pape. "

*Puis, Homenas, l'évêque des Papimanes convia Pantagruel et ses compagnons à un grand banquet,
là il donna son avis sur ceux qui refusaient d'appliquer les Décrétales…*

"… Et ces diables d'hérétiques qui ne les veulent encore ni apprendre ni savoir ?
Brûlez, tenaillez, cisaillez, noyez, pendez, empalez, démembrez, éventrez, découpez, fricassez,
grillez, tronçonnez, crucifiez, bouillez, écrabouillez, écartelez, disloquez,
déboîtez, mettez en grillade ces hérétiques décrétalifuges, décrétalicides,
pire qu'homicides, pires que parricides... ! "

*Avant de reprendre la mer, Pantagruel promit aux Papimanes d'intercéder auprès du Saint-Père
pour qu'il leur rende visite.*

* Recueil de décisions pontificales ayant force de loi.
** Allusion, sans doute, à la légende de la papesse Jeanne.

COMPAGNONS, N'ENTENDEZ-VOUS RIEN ? IL ME SEMBLE QUE J'ENTENDS DES GENS... MAIS JE NE VOIS PERSONNE...

DES VOIX ? NON... JE N'ENTENDS RIEN !!

MAIS SI, JE VOUS LE DIS !! J'ENTENDS DES CRIS...

C'EST VRAI !! J'ENTENDS DES BRUITS, DES COUPS D'ARQUEBUSES...

VENTRE BLEU !! CE SONT DES COUPS DE CANON. FUYONS, NOUS SOMMES PERDUS, C'EST UNE EMBUSCADE. FRÈRE JEAN, MON AMI, FUYONS !! PAR TOUS LES DIABLES, **FUYONS !!**

SEIGNEUR, NE VOUS EFFRAYEZ PAS. NOUS SOMMES AU BORD DE LA MER DE GLACE OÙ FUT LIVRÉE L'AN DERNIER UNE BATAILLE. LES CRIS ET LES CLAMEURS DU COMBAT GELÈRENT DANS L'AIR.

LE NAVIRE S'AVANÇA, LE FROID ÉTAIT INTENSE, MAIS PERSONNE NE VOULUT MANQUER CE SPECTACLE...

VOUS VOYEZ CELUI-CI ? C'EST UN COUP DE CANON. CELUI-LÀ, C'EST LE CRI D'UN BLESSÉ... AVEC LE DÉGEL, LES BRUITS SONT LIBÉRÉS.

REGARDEZ LÀ-BAS ! IL Y A DES BRUITS ENCORE BIEN CONSERVÉS !

VOYEZ CELUI LÀ, ÇA DOIT ÊTRE LE HENNISSEMENT D'UN CHEVAL.

QUELS BEAUX SONS ! J'AIMERAIS BIEN EN CONSERVER QUELQUES-UNS !

CONSERVER LES BRUITS D'UNE BATAILLE ? QUELLE DRÔLE D'IDÉE ! POURQUOI GARDER QUELQUE CHOSE QUI, HÉLAS NE VIENDRA JAMAIS À MANQUER ?

LE JOUR MÊME ILS ARRIVÈRENT DANS UNE ÎLE ROCHEUSE, MONTAGNEUSE ET INACCESSIBLE, AU PREMIER ABORD ELLE SEMBLAIT REBUTANTE...

... ET POURTANT TOUS FURENT D'AVIS DE LA VISITER.

LE GOUVERNEUR DE CETTE ÎLE ÉTAIT MESSIRE GASTER, MAÎTRE DE TOUS LES ARTS. IMPÉRIEUX, INFLEXIBLE, IL N'ÉCOUTAIT PAS, NE PARLANT QUE PAR SIGNES. TOUT LE MONDE OBÉISSAIT SANS DÉLAI, IL FALLAIT EXÉCUTER SES ORDRES OU MOURIR.

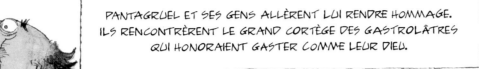

PANTAGRUEL ET SES GENS ALLÈRENT LUI RENDRE HOMMAGE. ILS RENCONTRÈRENT LE GRAND CORTÈGE DES GASTROLÂTRES QUI HONORAIENT GASTER COMME LEUR DIEU.

VIVE LE ROI GASTER ! GLOIRE AU GRAND MANDUCE !

EN AVANT LES MARMITONS, FAITES VOS OFFRANDES !

LE MANDUCE ÉTAIT UNE EFFIGIE MONSTRUEUSE AUX YEUX PLUS GRANDS QUE LE VENTRE. ON LUI ENFOURNAIT DANS LA GUEULE DES PÂTÉS, DES CÔTELETTES, DES CHAPONS, DES CHEVREAUX, DES DAIMS, DES LIÈVRES, DES FAISANS, DES PAONS, DES CIGOGNES, DES HÉRISSONS, DES MERLES, DES CYGNES... TOUT CELA À GRAND RENFORT DE VINAIGRE.

LE CORTÈGE PASSÉ, PANTAGRUEL REPORTA SON ATTENTION SUR GASTER, LE NOBLE MAÎTRE DES ARTS...

... AVEC BONNE GRÂCE, IL LUI MONTRA LE NOMBRE INFINI D'INVENTIONS QU'IL AVAIT APPORTÉ AU MONDE.

LA MÈRE NATURE LUI AVAIT DONNÉ LE BLÉ, IL INVENTA L'AGRICULTURE POUR MIEUX LE CULTIVER, IL INVENTA L'ART MILITAIRE POUR LE PROTÉGER. IL INVENTA LES MOULINS ET MILLE AUTRES ENGINS POUR MOUDRE LE GRAIN; LE LEVAIN POUR FERMENTER LA PÂTE; LE FEU POUR LA CUIRE; LES HORLOGES POUR SAVOIR LE TEMPS DE CUISSON DU PAIN...

IL INVENTA L'ART ET LE MOYEN DE LE TRANSPORTER D'UNE CONTRÉE DANS UNE AUTRE, LES CHARIOTS ET LES CHARRETTES, LES GALÈRES, LES BATEAUX ET LES NAVIRES...

PANTAGRUEL SERAIT RESTÉ PLUS LONGTEMPS À OBSERVER LES ADMIRABLES CRÉATIONS DE GASTER, MAIS IL DEVAIT POURSUIVRE SON VOYAGE. C'EST AINSI QU'IL REPRIT LA MER À LA RECHERCHE DE L'ÎLE DE LA DIVE BOUTEILLE.

APRÈS QUELQUES JOURS DE NAVIGATION, IL LEUR SEMBLA EN TENDRE DE GROSSES, PETITES ET MOYENNES CLOCHES...

DING DING DONG DING DING

PLUS ILS APPROCHAIENT, PLUS ILS ENTENDAIENT CETTE SONNERIE RENFORCÉE. ILS TROUVÈRENT LÀ UN PETIT BONHOMME D'ERMITE NOMMÉ BRAGUIBUS, IL LEUR EXPLIQUA...

DING DONG DING DONG DING DING DONG DI DING

SOYEZ LES BIENVENUS ! CETTE ÎLE FUT HABITÉE AUTREFOIS PAR DES MUSICIENS, ET COMME DANS LA NATURE TOUTE CHOSE VARIE, ILS SONT DEVENUS OISEAUX ET HABITENT DÉSORMAIS EN CES CAGES SOMPTUEUSES.

LE PETIT BONHOMME EXPLIQUA QUE CE QU'ILS ENTENDAIENT SONNER C'ÉTAIENT LES CLOCHES PENDUES AU-DESSUS DE LEURS CAGES...

IL EN EST D'INFINIES VARIÉTÉS, CERTAINS AU MAGNIFIQUE PLUMAGE TOUT BLANC; D'AUTRES, TOUT NOIR OU TOUT GRIS; D'AUTRES MOITIÉ BLANC ET MOITIÉ NOIR, D'AUTRES ENCORE TOUT ROUGE OU MOITIÉ BLANC ET BLEU...

ET VOICI PARMI LA MULTITUDE DE CES VÉNÉRABLES OISEAUX UN PERROQUET, IL EST SEUL ET QUAND IL MEURT, IL EN NAÎT UN AUTRE À SA PLACE, CHOISI PARMI LES OISEAUX CARDINAUX.

117

PUIS ARRIVA LE JOUR DU DÉPART, LE PETIT BONHOMME LES RACCOMPAGNA AU NAVIRE.

HOMME DE BIEN, FRAPPE, TUE TOUS LES PRINCES DU MONDE, PAR TRAHISON OU PAR VENIN, TU AURAS LE PARDON DU PERROQUET. MAIS NE TOUCHE PAS À CES OISEAUX SI TU AIMES LA VIE !!

SOIS REMERCIÉ, AUSSI AU NOM DE PANURGE ET DES AUTRES POUR LES PROVISIONS DONNÉES ET POUR LE VIN DONT TU NOUS AS GRATIFIÉ, NOUS PARTONS RECHERCHER LA DIVE BOUTEILLE. NOUS TE PROMETTONS DE VENIR À NOTRE RETOUR.

JE L'ESPÈRE. AMIS, VOUS NOTEREZ QUE PAR LE MONDE IL Y A BEAUCOUP PLUS DE COUILLONS QUE D'HOMMES. SOUVENEZ-VOUS-EN.

PUIS ILS ARRIVÈRENT DANS L'ÎLE FERRAILLE, LE PILOTE LEUR EXPLIQUA SES BIEN ÉTRANGES PARTICULARITÉS...

QUAND LES LAMES SONT MÛRES, ELLES TOMBENT COMME DES PRUNES ET RENCONTRENT UNE ESPÈCE D'HERBE NOMMÉE FOURREAU DANS LAQUELLE ELLES S'ENGAINENT.

LE JOUR SUIVANT, ILS ARRIVÈRENT DANS L'ÎLE DE LA SUPERCHERIE.

VOUS VOYEZ CES PETITS ROCHERS CARRÉS, CE SONT DES DÉS, ILS ONT VU PLUS DE NAUFRAGES ET DE PERTES DE VIE QUE CHARYBDE ET SCYLLA !!

PUIS ILS S'ARRÊTÈRENT DANS L'ÎLE DES CHATS FOURRÉS OÙ PANTAGRUEL NE VOULUT POINT DESCENDRE.

DÉBARQUEZ, MAIS FAITES TRÈS ATTENTION !!

118

... ET IL FIT TRÈS BIEN CAR ILS Y FURENT FAITS PRISONNIERS. LES CHATS FOURRÉS SONT DES BÊTES ÉPOUVANTABLES : ILS MANGENT LES PETITS ENFANTS...

ILS FURENT TRADUITS DEVANT GRIPPEMINAUD, ARCHIDUC DES CHATS FOURRÉS.

OR ÇA, OR ÇA, PERSONNE NE QUITTERA CETTE ÎLE SANS PAYER ! OR ÇA !!

PANURGE POUR ÉCHAPPER À LA PRISON, JETA UN SAC D'ÉCUS.

REPARTI EN TOUTE HÂTE, LE NAVIRE SE TROUVA BIENTÔT DANS UNE MER GROSSE ET TERRIBLE...

... ET S'ÉCHOUA BIENTÔT
DANS UN GRAND BANC DE SABLE.

TOUS NOS MARINS SE LAMENTAIENT
ET PARTICULIÈREMENT PANURGE,
QUAND, À L'HORIZON APPARUT
UN BATEAU CHARGÉ DE TAMBOURS...

AU SECOURS ! AU SECOURS !
PLÛT À DIEU D'ÊTRE À TERRE !
QUE L'ON ME DONNE UN CHEVAL
POUR RENTRER ! ALLEZ, JE CONSENS
À NE JAMAIS ME MARIER !

LE SECOURS FUT PROMPT ET AGRÉABLE...

ON DÉPLAÇA SEPT MILLIONS CINQ CENT TRENTE-DEUX MILLE
HUIT CENT DIX TAMBOURINS...

LE NAVIRE LES MIT HORS DES SABLES AVEC UNE GRANDE FACILITÉ,
LE SON DES TAMBOURINS JOINT AU DOUX MURMURE DU GRAVIER, RENDAIT
UNE HARMONIE PLAISANTE À L'OREILLE.

BONG BONG BONG BONG BONG

ILS PARTAGÈRENT AVEC EUX, LEURS ANDOUILLES ET SOIXANTE-DEUX TONNEAUX DE VIN.
PUIS, POUSSÉS PAR LE VENT, LES NAVIRES SE SÉPARÈRENT.

... ENFIN, ILS ABORDÈRENT DANS L'ÎLE DE LA QUINTE ESSENCE.
ON LES MENA AU PALAIS DE LA REINE, ELLE ÉTAIT BELLE ET DÉLICATE
ET AVAIT LE DON DE GUÉRIR TOUTES LES MALADIES PAR LE CHANT.

SOYEZ LES BIENVENUS.
VOTRE RENOMMÉE EST PARVENUE
JUSQU'À NOUS ET JE SERAIS HEUREUSE
DE VOUS CONFÉRER LA PLUS HAUTE
DISTINCTION DE CE PAYS,
VOUS SEREZ NOMMÉS
"EXTRACTEURS DE QUINTE ESSENCE".

ILS REPRIRENT LA MER AUSSITÔT APRÈS ET QUELQUES JOURS
PLUS TARD ILS ENTRÈRENT DANS LE PORT DE LANTERNOIS
OÙ ILS TROUVÈRENT LA LAMPE D'ALADIN, LA LANTERNE DE DIOGÈNE,
LE PHARE D'ALEXANDRIE AINSI QUE D'INNOMBRABLES LAMPES
ET FANAUX DE TOUTES SORTES.

APRÈS UNE GRANDE FÊTE, PANTAGRUEL EXPOSA SA REQUÊTE À LA REINE : UNE LANTERNE POUR LES CONDUIRE DANS LE VOYAGE QU'ILS FAISAIENT.

LA NOBLE LANTERNE LES ÉCLAIRANT ET LES CONDUISANT, ILS ARRIVÈRENT DANS L'ÎLE DÉSIRÉE, DANS LAQUELLE ÉTAIT L'ORACLE DE LA BOUTEILLE...

AUJOURD'HUI NOUS AVONS CE QUE NOUS CHERCHIONS AVEC TANT DE FATIGUE ET DE PEINE !

ALLONS, NE PERDONS PAS DE TEMPS. TOUS À TERRE !

J'ACCÈDE BIEN VOLONTIERS À VOTRE DEMANDE ET JE VOUS OCTROIE LA PLUS DIVINE, LA PLUS HUMAINE ET LA PLUS PRATIQUE DE MES LANTERNES.

CE VIGNOBLE, PLANTÉ PAR BACCHUS, EST COMPOSÉ DE TOUTES LES ESPÈCES DE VIGNES, MANGEZ TROIS RAISINS ET TRESSEZ-VOUS UNE COURONNE, AINSI SEULEMENT POURREZ-VOUS ENTRER.

PARFAIT, C'EST DANS LES RÈGLES DE L'ART ! VOUS POUVEZ CONTINUER.

122

In Vino Veritas

SOYEZ LES BIENVENUS. QUEL EST CELUI DE VOUS QUI VEUT LA RÉPONSE DE LA DIVE BOUTEILLE ?

JE VOUS PRIE MAINTENANT DE M'EXCUSER, JE NE PEUX VOUS CONDUIRE PLUS AVANT, JE VOUS LAISSE CEPENDANT EN DE BONNES MAINS...

MOI, VOTRE HUMBLE PETIT ENTONNOIR !

BACBUC VÊTIT PANURGE D'UNE HOUPPELANDE D'AZUR ET LE CONDUISIT DANS UNE SALLE TOUTE DORÉE...

MAINTENANT TU VERRAS LA BOUTEILLE SACRÉE... AU MILIEU D'UNE FONTAINE DANS LAQUELLE TU JETTERAS CE DISQUE.

IL NE SE PASSA RIEN PENDANT UN MOMENT. PUIS DE LA BOUTEILLE SACRÉE, SORTIT UN BRUIT : TRINC !

PAR LA VERTU DE DIEU ! ELLE EST CASSÉE OU FÊLÉE !

AMI, RENDEZ GRÂCE AUX CIEUX ! VOUS AVEZ EU PROMPTEMENT LE MOT DE LA DIVE BOUTEILLE ! ALLONS MAINTENANT AU CHAPITRE DANS LA GLOSE DUQUEL LE MOT EST INTERPRÉTÉ.

TRINC EST UN MOT UNIVERSEL QUI SIGNIFIE "BUVEZ" CAR DANS LE VIN, LA VÉRITÉ EST CACHÉE.

BACBUC TENDIT UNE GRANDE COUPE DE VIN DE FALERNE À PANURGE QUI LA BUT D'UN TRAIT.

TRINQUONS ‼ ET MAINTENANT JE VEUX ÉTUDIER DANS LA JOIE ‼ QUANT À MES NOCES, NOUS VERRONS PLUS TARD ‼ TRINQUONS ‼

MAINTENANT QUE VOUS AVEZ DÉLIVRÉ PANURGE DE SA MÉLANCOLIE, DITES-NOUS COMMENT VOUS REMERCIER.

TOUT LE MONDE SERA SATISFAIT SI VOUS ÊTES CONTENTS DE NOUS. ICI, NOUS AVONS PLUS DE PLAISIR À DONNER QU'À RECEVOIR.

ALLEZ, MES AMIS. REVENUS EN VOTRE MONDE, TÉMOIGNEZ QUE SOUS TERRE SONT LES GRANDS TRÉSORS. VOS PHILOSOPHES SE PLAIGNENT QUE TOUTES LES CHOSES ONT ÉTÉ ÉCRITES PAR LES ANCIENS; ILS ONT TORT... RIEN N'EST COMPARABLE À CE QUI, EN TERRE EST CACHÉ. PARTEZ ET SALUEZ VOTRE ROI GARGANTUA.

LE NAVIRE REPRIT LA MER. ILS REMARQUÈRENT QU'À POURSUIVRE LA DIVE BOUTEILLE ILS AVAIENT FAIT LE TOUR DU MONDE...

UNE FOIS ARRIVÉS, ILS FIRENT GRANDES FÊTES. ELLES FURENT PLUS JOYEUSES ENCORE GRÂCE À L'OBSERVATION SCRUPULEUSE DES CONSEILS DE BACBUC ET DE LA DIVE BOUTEILLE.

Fin